Ici ? ou là ?

Du même auteur :

Langage en gage, HB éditions, 2000.

Alain Bladuche-Delage

Ici ? ou là ?

Les traîtres mots

Mots & Cie / la Croix

OUVRAGE PUBLIÉ SOUS LA DIRECTION
DE JEAN-LOUP CHIFLET

Avertissement ou avant-propos ?

Le français est une langue qui bouge, et cela me paraît parfaitement sain. Pour constater, surveiller, admirer ou même regretter ces changements, il existe une race, hélas en voie d'extinction, celle des « chroniqueurs langagiers » qui sévissent encore (mais pour combien de temps ?) dans certains journaux ou magazines. Parmi ces petits soldats qui réveillent courageusement le lecteur pour qu'il continue à s'intéresser à sa propre langue, il en est un que j'apprécie particulièrement : Bladuche-Delage, qui, chaque semaine, dans la Croix, fait vibrer ma fibre d'éternel grammairien buissonnier. Il est en effet de ceux qui pensent que la langue n'est vivante que parce qu'elle est le fruit d'une création quotidienne et que certaines subtilités sémantiques n'ont pas été forgées seulement par des lexicologues, mais par vous et moi, nos parents et nos grands-parents.

Parmi les chroniques d'Alain Bladuche-Delage publiées dans la Croix, nous avons sélectionné celles qui mettent l'accent sur ce qu'il convient d'appeler les hésitations de l'usage – vous savez, ces mots a priori très simples dont on connaît tous l'emploi... mais qui se révèlent soudain riches de distinguos inconcevables et d'embûches insurmontables ! Que penser, par exemple, de la différence entre « la jeunesse » et « les jeunes », si ce n'est que « la jeunesse » a toujours été célébrée tandis que le mot « jeune » est souvent péjoratif ? Autres débats d'importance : « avenir » ou « futur » ? « lorsque aucun » ou « lorsqu'aucun » ? « s'il vient » ou « si il vient » ? « habiter à Paris » ou « habiter sur Paris » ? « pas » ou « ne pas » ? « se rappeler » ou « se souvenir » ? « volatil » ou « volatile » ? « l'hyène » ou « la hyène » ? « le hiatus » ou « l'hiatus » ? etc.

Vous verrez : ce n'est pas triste et c'est surtout très instructif. Et d'ailleurs, Bladuche-Delage est-il un des « rares » ou un des « seuls » chroniqueurs langagiers encore dignes de ce nom ? Réponse en page 93 !

JEAN-LOUP CHIFLET

À ou sur ?

Les prépositions sont des petits mots courts *(à, de, par, pour...)*, dont le rôle est de relier d'autres mots. Voici un chat qui appartient à une voisine ; pour exprimer cette relation, une préposition suffit, qui est le plus souvent *de* (le chat *de* la voisine) et parfois *à* (le chat *à* la voisine). Ce second emploi est d'une tonalité plus populaire, plus familière, mais il ne rend pas l'expression incompréhensible.

Le chat *à* la voisine, tout le monde sait ce que cela veut dire, c'est le chat de Mme Machin, celle qui habite à côté. Par contre, si, souhaitant parler du chat de la voisine, on dit : le chat *sur* la voisine, ou *avec* la voisine, là, on se trompe du tout au tout dans le choix de la préposition. Ce n'est pas le même cas qu'avec *à*.

C'est évident, direz-vous, mais ce genre de faute n'existe pas. Eh bien, faut-il se plaindre de ce qu'il n'y ait pas de faute ? Est-ce que, par hasard, nous n'irions pas chercher des poux dans la tonsure du chat *à* la voisine, simplement par besoin de découvrir des fautes dans la bouche du voisin ? Une sourde inquiétude taraude les censeurs : s'ils ne trouvent pas de solécismes à redresser dans les paroles de leurs interlocuteurs, ils craignent que les erreurs ne soient dans leurs propres discours. La meilleure défense est l'attaque. En matière de langage, le dénigrement du français des autres rassure plus facilement que la qualité du sien propre.

Revenons au chat de notre voisine, malencontreusement qualifié de chat *sur* la voisine. Cette faute n'existe pas ? Ce n'est pas sûr. On parle facilement d'une enquête réalisée *sur* Lyon, et cette préposition ne permet plus de comprendre si l'étude en question a été menée *à* Lyon ou *à propos de* Lyon. On prévoit du beau temps pour demain *sur* Paris, on travaille *sur* Paris, on habite même *sur* Paris... *Sur* vient remplacer *à*. Mais *sur* Paris, ce sont des chars d'assaut qui foncent, dans le but de s'en emparer ; s'ils foncent *à* Paris, c'est que la ville est déjà prise. *À* n'est peut-être pas *de* (le chat *à* la voisine), mais *sur* n'est sûrement pas *à*.

Après qu'il a ou qu'il eut ?

Après que veut l'indicatif, d'accord, mais lequel ? Cette règle nous rappelle une jeunesse d'il y a trente-cinq ans, qui criait qu'il fallait tous descendre dans la rue. Dans la rue, oui, bien sûr, courons-y — mais laquelle ?

Félicien n'était plus là quand vous êtes arrivé. Que lui dites-vous le lendemain ? « Je suis arrivé après que vous... » ayez disparu ? Ah ! non ! pas de subjonctif !

« Je suis arrivé après que vous avez disparu » n'est pas très clair. Les deux verbes sont contemporains. Comparez avec : « Je suis arrivé à l'instant où vous avez disparu. »

« Je suis arrivé après que vous eûtes disparu » assimile le passé composé à un passé simple. On écrira en effet, dans un récit, par exemple : « Pierre arriva après que Félicien eut disparu. » Mais « Pierre est arrivé après que Félicien eut disparu » est moins bien, parce qu'il y a changement de registre entre le passé composé et le passé antérieur.

Le passé composé, comme le plus-que-parfait, s'inscrit dans une continuité temporelle sans rupture. Le passé antérieur, comme le passé simple, exprime un passé objectif et achevé. Le passé composé convient au journaliste et à la langue de tous les jours (« Quand les faits ont été connus, le ministre a déclaré... »). Le passé simple et le passé antérieur appartiennent à l'historien et aux contes de fées (« Quand les caisses eurent été vidées par les dépenses, le roi de France arrêta la guerre »).

Le passé antérieur est le passé du passé simple (à partir duquel il est construit). Pour exprimer le passé du passé composé, on peut risquer un plus-que-parfait. Mais « je suis arrivé après que vous aviez disparu » est bancal : le plus-que-parfait indique une antériorité indéterminée, qu'« après que » contredit par excès de précision. Comparez avec : « Quand je suis arrivé, vous aviez disparu. »

Que faut-il dire, alors ? On nous propose un temps qui serait le vrai passé du passé composé : le passé surcomposé. « Je suis arrivé après que vous avez eu disparu. » Cette solution logique est peu usitée.

C'est pourquoi, fatigué, ne sachant ce qu'il faut faire, on se demande parfois si le français, au fond, ne sollicite pas en nous des ressorts masochistes (ou sadiques) et si ce n'est pas là la vraie raison de son refus — par ailleurs légitime — de mettre le subjonctif derrière un « après que » !

Après qu'il eut ou qu'il a eu ?

Hugo, dit-on, le roi — hélas ! — de nos poètes, au fond d'un encrier déchaîna des tempêtes en appelant cochon le dénommé pourceau. Pour sûr, Victor Hugo ne passait pas pour sot. Il mit un bonnet rouge à son vieux dictionnaire, j'ignore si cela fut révolutionnaire, mais je ne sache pas que l'ex-enfant chétif, l'« espèce d'enfant blême » à l'œil inattentif qu'on célèbre en nos temps si commémoratifs, ait osé *après que* avec des subjonctifs.

Après que ! après que ! après que ! morne règle... Comme un caprice chu d'un antique nid d'aigle où dormait un vieux sage aimant la contorsion, cette conjonction de subordination veut voir l'indicatif défiler à sa suite. Seul ce mode est admis, la langue en est instruite. L'oubli de cette loi vous intègre à la pègre. Mettre le subjonctif, c'est causer petit-nègre.

Et nous, les pauvres gens, dociles et prospères, nous qui respectons tant la langue de nos pères que nous la parlons comme une langue étrangère, nous qui avons mis sur la plus haute étagère une grammaire, nous, notaire, boulangère, soldat pour qui la loi n'est jamais mensongère ou PDG qu'un mot de travers réfrigère — nous ne pensons jamais que la règle exagère. La règle nous subjugue, elle est incritiquable. Elle n'est pas en nous, mais dans notre cartable. La règle est extérieure et règne, hors de portée comme du grec, ou comme un texte de dictée, ou bien comme le fruit d'un savoir positif. Eh bien, soit ! « Après que » aura l'indicatif !

Voici ce que chacun dans son journal a lu : « J'ai passé le café après qu'on l'a moulu. » « Qu'on l'a moulu », vraiment ? Ou peut-être « qu'on l'eut moulu » ? « Qu'on le moulait » eût-il équivalu ? Ou bien encore « après qu'on l'avait moulu », non ? « Je l'ai passé après qu'on le moud » n'est pas bon, mais « après qu'on l'a eu moulu » ou même « après qu'on l'aura eu moulu » conviennent à peu près. « J'ai passé le café après qu'on le moudrait » dénote en général un style un peu distrait. D'autres cas, comme « après qu'on l'aurait eu moulu » fument dans un cerveau sûrement vermoulu.

« J'ai passé le café... » Hé ! dépêchez-vous donc ! Trouvez un temps quelconque à placer *hic et nunc* ! Car il faut à la fin savoir ce que l'on dit avant que le café ne soit tout refroidi. « J'ai passé le café... j'ai passé le café... » Oui, mon gars, nous savons fort bien que tu l'as fait, mais tu l'as fait après qu'... ? « Après qu'on l'ait moulu ! » Mets donc le subjonctif et qu'on n'en parle plus.

Avenir ou futur ?

Si l'on en croit les dictionnaires, en l'occurrence celui de l'Académie française, l'avenir est le temps futur et le futur est ce qui est à venir... À quoi servent des lexicographes qui n'opposent pas de distinguos aux synonymes ! Il y en a bien un, pourtant. Car, à l'époque enfuie (?) du triste *no future* (repris par des perroquets sous la forme de « la fin de l'histoire »), on pouvait s'inquiéter de savoir si le futur avait de l'avenir, mais on ne se demandait pas si l'avenir avait du futur.

Ce n'est pas sans confusion qu'on lit dans le Petit Larousse : « Avenir : temps futur », et « Futur : temps à venir » (pages 104 et 460 dans l'édition de 2002) ; pas sans perplexité qu'on trouve les citations suivantes dans la nouvelle édition augmentée du Grand Robert : à « avenir », « Le présent accouche de l'avenir » (tome I, page 1089), et à « futur », « Le présent accouche du futur » (tome III, page 1144).

Des synonymes, vraiment, assure-t-on ! C'est commode pour la rime : quand le héros s'appelle Arthur, il a devant lui le futur ; mais s'il a pour nom Casimir, il fait face à son avenir... Or, le futur d'Arthur, c'est peut-être sa promise ; et l'avenir de Casimir passe par sa future. « Ma future femme », dit Arthur en parlant de sa fiancée (ou de celle qu'il vous présente comme telle). Il ne dirait pas : « Ma femme à venir ».

Ce qu'il y a de commun à l'avenir et au futur, c'est qu'ils ne sont pas présents. (La qualité des lapalissades est de ne pas être douteuses.) Mais sont-ils plus incertains pour autant ? Le présent non plus n'est pas sûr. Imaginez qu'Arthur présente son épouse (et non plus sa future) par ces mots : « Ma présente femme » ; un doute s'immiscerait sur la solidité du lien dont il cause, tandis que « ma future femme », du temps de ses fiançailles, semblait plus assuré.

Ce n'est pas un paradoxe, « ma future femme » peut se dire à propos d'une femme qui est effectivement présente ; elle incarne, si l'on ose dire, la « présence du futur » (titre d'une collection de science-fiction, justement). « Ma femme à venir » (si toutefois l'expression s'emploie) fera plutôt référence à un être imaginaire, à quelqu'un qui n'a pas encore été rencontré, car si elle est à venir, c'est qu'elle n'est pas encore venue.

Entre le futur et l'avenir, toutes les nuances découlent de là : le futur vient du verbe être (en latin, *futurus*, « qui est sur le point d'être ») et suppose ce qui sera, tandis que l'avenir vient de venir et envisage ce qui viendra.

Bimensuel ou bihebdomadaire ?

La mesure du temps est mal faite. Prenez *bimensuel*. Qu'est-ce que cela veut dire, *bimensuel* ? Est-ce que cela désigne quelque chose qui se produit tous les deux mois ou, au contraire, deux fois par mois ? Les deux, hélas !...

Comment, les deux ? Une revue bimensuelle paraît deux fois par mois. Pour le laps de deux mois, il y a un autre adjectif, qui est *bimestriel*. Cette affaire est sérieuse. Aucun doute n'est permis, surtout s'il est question de payer un abonnement !

Lisez ceci pourtant : l'adjectif *bimensuel* est composé du préfixe *bi* et de l'adjectif *mensuel*, comme *bimétallique* est composé de *bi* et de l'adjectif *métallique* ; *bimillénaire*, de *bi* et de *millénaire* ; *bidimensionnel*, de *bi* et de *dimensionnel,* etc. Or, ce qui est bidimensionnel possède deux dimensions, ce qui est bimillénaire dure depuis deux millénaires, ce qui est bimétallique est composé de deux métaux. Nous devons donc pouvoir conclure sans excès de déraison que *bimensuel* convient à une période de deux mois. Ce sens est en tout cas conforme à la structure du mot.

Ah ! la structure du mot, sa morphologie, son analyse !... Hélas ! le sens n'est pas confiné dedans !...

Bimensuel, composé de *bi* et de *mensuel*, « devrait » renvoyer à une période de deux mois... mais les choses se passent autrement.

Citons Émile Littré, idole des lexicographes, maître des dictionnaires passés, présents et à venir. « Ce qui est bimensuel, écrit-il, paraît tous les deux mois, par opposition à semi-mensuel, qui s'applique à ce qui paraît deux fois par mois. » Eh bien non, il se trompait, *semi-mensuel* n'existe pas.

« Ce qui est bihebdomadaire paraît toutes les deux semaines. » Eh bien non, ce qui paraît toutes les deux semaines, c'est *bimensuel*.

« C'est une erreur, insiste-t-il, de prendre *bimensuel* pour exprimer deux fois par mois. » Peut-être, mais c'est l'erreur qui est bonne !

« *Bisannuel*, poursuit-il, imperturbable, signifie non pas deux fois par an, mais qui se fait tous les deux ans, qui dure deux ans. *Bimensuel* ne veut pas plus dire deux fois par mois que *trimestriel* ne veut dire trois fois par mois... »

Bref, notre auguste Émile n'est plus du tout d'accord avec la langue française. Il avait raison, bien sûr, mais la vie a donné tort à sa raison.

Butter ou buter ?

Butter, c'est la même chose que *buter*, pour le surineur. Cela veut dire assassiner, l'argot ne se mêle pas de savoir s'il faut un ou deux *t*. Ce terme est proche de *bouter* (« bouter les Anglois hors de France »). On le met en rapport aussi avec la *butte* (ou *bute*), nom argotique de l'échafaud, lequel était, comme le gibet, dressé d'ordinaire sur une *butte*, en effet.

Dans une langue moins verte, *buter* (avec un *t*) ne signifie pas occire, mais achopper, se heurter à. Exemple : je bute sur le verbe buter. Et *butter* (avec deux *t*), ce n'est pas non plus perpétrer un meurtre, c'est seulement entourer une plante d'une butte de terre. Les graphies de ces deux verbes ne sont pas interchangeables. Il faut pourtant reconnaître que la confusion est courante. « Je butte sur l'orthographe » est une phrase dans laquelle beaucoup de gens ne voient pas de faute.

Le doublement – ou non – des consonnes est une source de tourments. On écrit *butter* au lieu de *buter* et *appeller* à la place d'*appeler*, ces erreurs sont aussi vieilles qu'une langue dans laquelle le *jet* a pour verbe *jeter*, tandis que le *regret* préfère *regretter*.

Appeller ne contient qu'une faute. Lorsqu'on écrit *butter* à la place de *buter*, on en fait deux : on se trompe sur *buter*, en indiquant aussi qu'on ne connaît pas le verbe *butter*. Or, *buter* (sur un obstacle) vient de *but*, tandis que *butter* (les pommes de terre) vient de *butte* : la différence est grande, du point de vue du genre !

La différence serait plus nette si le *but* et la *butte* étaient plus... différents. En fait, il sont très liés, par une vieille histoire de tir à l'arc. Les deux mots ont désigné l'un autant que l'autre la cible sur laquelle la flèche vient buter – avant que la *butte* féminine ne se spécialise et ne désigne plus précisément le tertre sur lequel le *but* masculin (la cible) reposait.

Des temps insouciants où ces mots s'élaboraient, il nous reste une butte qui n'est autre qu'un but dans le tour *être en butte à*, car la butte en question n'est pas une colline. Être en butte aux critiques, c'est leur servir de cible, autrement dit de but... et c'est pourquoi l'on bute sur le verbe *buter*, et qu'on lui met deux *t*.

Car ou bus ?

L'autobus et l'autocar ont pour préfixe « auto », qui ne signifie pas « par lui-même » (en grec, *autos*), comme dans automobile, mais a précisément le sens d'automobile. De même que le vélocipède a produit le vélo, l'automobile, en effet, a engendré l'auto.

Automobile est aussi un adjectif, comme dans « voiture automobile », qui n'est pas un pléonasme, si l'on songe qu'il existe des voitures non mobiles par elles-mêmes (tirées par des chevaux, elles sont hippomobiles). Il faut se rappeler ce qu'est une voiture : c'est un moyen de transport. « Le carrosse, la litière (lit couvert porté à l'aide de deux brancards), le bateau sont des voitures forts douces », lit-on dans le Littré.

Le temps passant et le progrès se faisant de plus en plus moderne, en 1906, le 15 mai, la Compagnie des omnibus de Paris, dont les voitures étaient tirées jusque-là par des chevaux, lâcha dans les avenues de la capitale des véhicules automobiles. Ces omnibus automobiles devinrent vite des auto(mobiles)-(omni)bus, des autobus, et même des bus. Venons-en maintenant à l'autocar.

Alors que l'omnibus de l'autobus est emprunté au latin (et signifie « pour tous »), le car de l'autocar remonte, lui, au gaulois, latinisé sous la forme *carrus*, d'où viennent aussi char, charrette, charrue... Au XIXe siècle, aux États-Unis, *car* désigne spécialement un véhicule sur rails, quelque chose comme un tramway. Par la suite, l'automobile s'est approprié le mot *car*.

Vers 1900, *autocar* est anglais, c'est une automobile : une voiture *(car)* qui se meut d'elle-même *(auto)*. C'est pourquoi les Québécois francophones ne connaissent pas notre autocar : ils ont déjà le *char*, nom local de l'automobile par copie de l'anglais *car*, et le car du ramassage scolaire est pour eux un autobus. En Belgique, au contraire, où le mot « car » n'a pas pris le sens anglais d'automobile, l'autocar avale la route dès 1896 : c'est un véhicule de transport collectif, signification proche du premier sens anglo-américain, sans les rails.

Qu'est un autocar, de nos jours ? Pour l'Académie comme pour le Grand Robert, c'est un véhicule automobile de transport des voyageurs d'une ville à l'autre. Qu'est un autobus ? Un véhicule de transport des personnes d'un point à un autre d'une ville.

L'autocar sort de la ville dans laquelle roule l'autobus... Mais qu'entend-on par ville, dans le monde urbanisé ? De Caluire à Vénissieux, on change sûrement de ville, faut-il prendre le car ?

Champagne ou champaigne ?

Quand arrive l'été, les cahiers sont fermés et les écoliers se dispersent. Ceux qui, laborieusement, tout au long de l'année, tracèrent les lettres des mots concomitant, occurrence, transhumance ou triptyque sans faire de faute, se surprennent à penser que toute cette orthographe n'a guère de fondement.

À quoi bon le *ph* de la philosophie, l'*y* de l'analyse, le *g* du doigt, l'*i* de l'oignon ?... Est-on moins philosophe de l'autre côté des Alpes, où l'on écrit tout simplement *filosofia* ? Le Dictionnaire de l'Académie française « corrigé et augmenté par l'Académie elle-même », publié en 1798, admettait la graphie « analise », à côté de notre analyse. Pourquoi donc celle-là ne l'emporta-t-elle pas !

Quant au *g* du mot doigt, on me dit doctement qu'il est là pour rappeler le latin *digitus*... Outre qu'il ne rappelle rien à ceux qui ne savent pas le latin et que ceux qui le savent se passent de ce rappel, constatons que ce *g*, qu'on trouve aussi dans vingt (en latin, *viginti*), ne figure pas dans trente (en latin, *triginta*). Et que l'*l* du mot « aultre » (en latin, *alterum*), n'étant plus prononcé, a été supprimé sans grand inconvénient pour ce qui est de l'autre.

L'écriture de l'oignon pose un problème plus grave : la présence de l'*i* justifie en effet la prononciation *ouanion*. Elle n'est donc pas adaptée au son qu'elle est censée transcrire et qu'au contraire elle contribue à déformer. Le cas est moins rare qu'on ne le croit : c'est aussi celui du moignon et du poignard, qu'il y a cent ans à peine on recommandait encore de prononcer *mognon* et *pognard*.

Dans ces mots, en effet, l'*i* ne va pas avec l'*o* qui le précède, pour former le son *oi*, mais avec le *gn* qui le suit, parce que le groupe de lettres *ign*, à une certaine époque, fut la manière de transcrire ce que nous écrivons tout simplement *gn*. Pour la même raison, Philippe de Champaigne, qui fut entre autres le peintre du cardinal de Richelieu, ne se prononce pas *champaigne*, mais *champagne*. Une graphie archaïque nous oblige à le rappeler.

Côte d'Azur ou Côte-d'Azur ?

Nous connaissons tous ces vieilles terres, le Hainaut, la Gascogne, le Maine... Il y a des noms composés : la Champagne crayeuse (ou pouilleuse), la Petite Beauce (entre Vendôme et Blois). Ce sont des noms évocateurs, chargés d'histoire, fleurant bon le terroir. Leur orthographe est parfois complexe (le Comtat Venaissin prend en principe deux majuscules).

Plus tard vient l'administration et, avec elle, les traits d'union. Le trait d'union, c'est la preuve du chef-lieu et de l'assemblée locale, ainsi que des limites mesurées à l'are près. Si le Comtat Venaissin (Vaucluse) avait donné son nom à un département, celui-ci se fût écrit le Comtat-Venaissin, avec un trait d'union, comme la Charente-Maritime ou les Alpes-de-Haute-Provence (qui ne sont pas les Alpes qu'on voit en haute Provence, mais les anciennes Basses-Alpes, chef-lieu Digne).

La Provence-Alpes-Côte d'Azur est une région administrative et prend donc des traits d'union. Son nom est long, très long. Cela pose des problèmes aux journaux, qui titrent en première page « Brouillard dans le Centre » ou « Pluie en Bourgogne », mais pas « Canicule en Provence-Alpes-Côte d'Azur ». Les lettres sont trop grosses, la justification (longueur de la ligne) est trop courte : « Provence-Alpes-Cô... », cela ne rentre pas. Que faire ? Créer un sigle : « Paca ». On y perd la Provence, les Alpes, la Côte d'Azur, mais on gagne de la place.

La Côte d'Azur n'a pas de trait d'union. Entre Cassis et Menton, c'est une région touristique et non pas administrative, comme la Côte d'Or, en Bourgogne, n'est pas un département mais un escarpement, où l'on cultive la vigne, sur la côte de Nuits et sur celle de Beaune. Le département de la Côte-d'Or (avec un trait d'union) tient son nom de cette Côte d'Or. C'est pourquoi l'on s'étonnera de ce que la Côte d'Azur, qui a donné son nom à la Provence-Alpes-Côte d'Azur, n'ait pas acquis, dans le cas de l'intitulé régional, un beau trait d'union comme tout le monde.

Décade ou décennie ?

Le Dictionnaire de l'Académie française et les six gros volumes du Grand Robert de la langue française sont d'accord : la décade dure dix jours. Si parfois on lui prête dix ans, c'est « sous l'influence de l'anglais », dit le Robert. « Ce mot ne doit pas être confondu avec décennie », gronde l'Académie.

Et pourquoi donc ? Ça alors ! Oui, pourquoi ne « doit »-il pas être confondu avec décennie, s'il vous plaît ? Parce que cette confusion viendrait d'une influence anglaise ? Mais pour quelle raison pense-t-on que cette influence-là est nécessairement néfaste, a priori et à tous les coups ? L'épanouissement de la langue exige-t-il sérieusement qu'on boute une nouvelle fois l'anglois hors du françois ? En est-on toujours là, au troisième millénaire ap. J.-C. ? Cette conviction assise sur des siècles aveugles a, certes, son côté commode.

Mais l'argument est un peu court. Toute langue ambitieuse est sous influence et aime ça. Nourrie seulement d'elle-même, elle s'épuise. Ce n'est pas parce qu'une influence est anglo-saxonne qu'elle est mauvaise.

Ce serait trop simple de se retrouver entre soi, avec son petit jargon de clocher transmis de génération en génération sans que rien bouge. La terre tourne, les marchandises circulent, les hommes les suivent et leurs langues voient du pays aussi. « Les mots changent de sens peu à peu. Ils évoluent dans des directions différentes. Bientôt les gens de deux quartiers d'une même ville emploient les mêmes mots pour désigner tout autre chose », écrit Michel Butor dans ses *Essais sur le roman*. Les uns disent décade, les autres décennie. Que faire ?

« Eh bien, poursuit Butor, on se réfère à des phrases, à des récits dont on est sûr qu'ils sont communs, à des textes qui, eux, ne sont pas la proie de cette continuelle dégradation » du langage. C'est le rôle de la littérature : maîtriser le développement de la langue, fixer les usages, organiser la permanence du vocabulaire.

Décade : « Il y a des femmes qu'à chaque décade on retrouve en une nouvelle incarnation » (Proust). « L'énorme traumatisme affectif des deux décades de ce milieu de siècle » (Gracq). Ces décades durent dix ans et leurs auteurs sont de ceux sans lesquels un dictionnaire tel que le Grand Robert de la langue française ne serait même pas imaginable.

La décade est un terme trop savant pour désigner seulement une période de dix jours : soit elle dure dix ans, soit elle disparaîtra du vocabulaire.

Distrayèrent ou distrayirent ?

Chacun de nous connaît des mots bizarres, de ceux qu'on place avec parcimonie, en les faisant précéder d'un silence, parce qu'ils rendent un effet indépendant de leur sens, à cause de leur rareté : hypocoristique, procrastination... Ce sont des termes savants. Mais la rivelaine, mais l'asseau, mais la marteline !... Ils sonnent autrement ! Hélas ! personne ne les a sortis de leur emploi spécialisé (rivelaine : pic de mineur ; asseau, marteline : marteaux) et ils tombent en désuétude à cause de la disparition de cet emploi.

Le français est plein de mots qui ne servent pas suffisamment. Prenez les noms de rabots : le bouvet, la doucine, le feuilleret, le gorget, le guillaume, le riflard, la varlope... Ils sont bien faits, ils attendent qu'on les utilise davantage en leur donnant des sens seconds. Il ne reste qu'à fabriquer ces choses.

Les noms, les adjectifs posent des problèmes de sens : on peut difficilement les employer pour des significations qu'ils ne possèdent pas. Les verbes ajoutent à cela deux difficultés supplémentaires : celle de leur conjugaison et celle de leur construction.

Conjugaison : prenez le verbe distraire, le verbe amuser, le verbe jouer et écrivez la phrase que vous voulez écrire : « Ils jouèrent, ils s'amusèrent et ils se… » Ils se quoi ? distrayèrent ? distrayirent ? distrayurent ? On dit qu'il s'amusa ; dit-on qu'il se distrayit ? Le verbe distraire, comme traire, n'a pas de passé simple, ce qui ne simplifie pas son emploi. Quand on veut le passé simple, que faire ? Soit on impose « distrayirent », ce qui demande tout de même un certain style, soit on contourne lâchement l'obstacle de la langue : « ils occupèrent agréablement leurs loisirs », « ils se divertirent », etc. La leçon, au bout du compte, est la même : la langue résiste, on ne peut pas écrire ce qu'on veut, quand même on devrait pourtant pouvoir l'écrire. Un passé simple ! ce n'est tout de même pas compliqué ! Eh bien, si.

Emporter ou remporter ?

On emmène des gens, on emporte des choses. La distinction est simple, si ce sont des personnes comme vous et moi qui agissent, mais le taxi ? Vous emmène-t-il au lieu où il vous dépose, ou vous y emporte-t-il ? La terre nous emmène-t-elle ou nous emporte-t-elle dans son vaste mouvement ? Rutebeuf écrivit-il : « Ce sont amis que vent emmène » ? Et Corneille : « Le flux les amena, le reflux les remmène » ? Édith Piaf fut-elle emmenée par la foule ?... Un créancier, un huissier n'ont pas grand-chose d'une chose, mais que souhaite-t-on en général à leur sujet ? Que le diable les emmène ou plutôt qu'il les emporte ?

« Que le diable l'emporte » a deux significations : on souhaite ardemment qu'il s'empare de quelqu'un (dans la plupart des cas, ce n'est qu'une façon de parler) ; ou on désire qu'il gagne, ce qui est différent.

L'emporter, en effet, c'est être le plus fort. Mais quand le vainqueur l'emporte, emporte-t-il la victoire ou la remporte-t-il ? Imaginez une bataille, mettons une élection. L'élu est celui qui l'emporte, mais il emporte quoi donc ? S'il emporte l'élection, on est en droit de lui demander en quel lieu il compte la mettre. Du temps de Racine ou de La Fontaine, on emportait le dessus, l'avantage ou la victoire sans penser à mal. De nos jours, on emporte une valise pour avoir de quoi se vêtir lorsqu'on est loin de chez soi, tandis qu'une bataille, cela ne s'emporte pas, cela se remporte, et celui qui l'emporte n'emporte donc... rien du tout !

Il l'emporte, en effet, puisqu'il est le vainqueur, mais que signifie cet *l* suivi d'une apostrophe, quel est le sens de ce court complément d'emporter ? Eh bien, on n'en sait rien. À partir du moment où l'élection ne s'emporte pas, mais plutôt se remporte, il n'y a pas de terme auquel ce petit pronom complément d'emporter puisse être rapporté.

Envers et contre tout ou tous ?

Voici quelques mots que chacun peut lire dans son journal. Le ministre, son conseiller, ou bien un spécialiste, est-il écrit, « s'est montré réticent envers les risques encourus ». L'information ne demande aucun effort de traduction, car c'est bien en français qu'elle est formulée. Or, cet idiome est votre langue maternelle, vous en possédez comme de naissance les normes admises, mais aussi de nombreux usages moins académiques. Vous avez donc lu et compris sans devoir vous y reprendre à deux fois que quelqu'un, au ministère, était réticent envers les risques encourus.

Bien sûr, vous n'ignorez pas que la préposition *envers* introduit plus souvent des personne que des choses : « envers vous », « envers moi », « envers qui ? » et non pas « envers quoi ? ». On ne défend pas une cause « envers et contre tout », on la soutient « envers et contre tous ». Ou bien, s'il s'agit d'une chose, c'est une entité morale et comme personnifiée (« traître envers la patrie »). Vous ne l'ignorez pas, mais c'est sans importance. Qu'un conseiller se soit montré réticent *devant*, *sur* ou *envers* les risques encourus, c'est pareil.

Que le choix d'une préposition (*à, de, par, pour, envers,* etc.) ne soit pas seulement déterminé par la catégorie des mots qu'elle relie (des noms, des verbes…), mais par le sens de ces mots, cela a pourtant un certain intérêt. En effet, les prépositions changent de sens en fonction du sens des mots (« Pierre mange avec Paul », « Paul mange avec appétit ») et le sens des mots peut ne leur donner aucun sens. « Paul mange avec six à huit plats différents » : *avec* ne signifie rien, c'est *de* qui conviendrait, ou alors il faut dire ce que Paul mange avec ses six à huit plats différents.

« Envers les risques encourus » est un peu moins obscur que cet « avec six à huit plats ». Mais *devant* ne serait-il pas plus adapté qu'*envers* ? Cela n'a pas d'importance.

D'ailleurs, nous n'ignorons pas non plus qu'encourir signifie « se mettre dans le cas de subir quelque chose », et que subir un risque n'a pas grand sens non plus. Un risque ne se subit pas, il s'évite ou se prend, du moins si on le court. Les risques sont courus, ils ne sont pas encourus. Cela aussi nous le savions, mais c'était aussi sans importance.

Un ou une **espèce** ?

La faute qu'on traque, qu'on chasse, qu'on rature, celle que les grammairiens critiquaient férocement et que les dictionnaires déconseillent formellement, la faute qu'on n'aime pas être surpris à commettre, la faute a le charme de l'interdit et elle est excitante, quand elle est expressive. La faute (celle, du moins, qui vaut qu'on parle d'elle) n'existe réellement que dans un environnement classique, lorsqu'une belle langue règne et que la tradition soutenue, l'usage le moins condamnable et les règles les plus fermes sont illustrés avec aisance. Là, la faute est jolie, là seul elle a sa place ; elle n'est pas permise, elle est due — et il est impossible de la corriger.

Espèce est un substantif féminin : une espèce. On ne sache pas que ce nom simple, courant, connu de tous, existe au masculin. Ses acceptions sont nombreuses : des gens de toute espèce, l'espèce humaine, communier sous les deux espèces... Ce substantif a aussi un sens un peu inférieur à celui de *sorte* : comparez « c'est une sorte d'avocat des pauvres » et « c'est une espèce d'avocat des pauvres ».

Le Dictionnaire de l'Académie choisit à juste titre

ce moment pour intervenir : « Le mot *espèce* est féminin, quel que soit le genre du complément ! », s'alarme-t-il en caractères gras. Dans le même instant, les auteurs — et Grevisse qui les recensa — s'en donnent à cœur joie : « tous ces espèces de prophètes à la manque » (Claudel), « un espèce de murmure » (Bernanos), « cet espèce de navet » (Gabriel Marcel)... Et tout un chacun de dire « un espèce de vaurien », « un espèce d'imbécile », pour placer ledit vaurien un cran encore en dessous de la valeur d'« une espèce ».

C'est une faute ! C'en est une, et il n'est pas question de la justifier (une faute justifiée, hélas ! n'est plus une faute). Nous ne pouvons pourtant pas ne pas rapprocher « une espèce de » des constructions voisines ; par exemple, d'« un diable de », où diable est sans conteste un substantif masculin. « Ce diable d'homme trouve toujours des expédients », dit encore l'Académie, qui ajoute : « Dans cette acception, diable peut s'employer au féminin : cette diable de femme. »

Un diable d'homme, une diable de femme ? Les grammairiens s'en sortent en disant que le substantif *diable* acquiert dans ce cas une valeur d'adjectif. N'est-ce pas ce que fait l'espèce ? Non ! « Un espèce » est une faute, qui entend le rester et à laquelle on tient.

Évidemment ou évidement ?

Ce qui compte est petit. Le verbe avoir *(il a)* et le verbe être *(tu es)* sont brefs. Les conjonctions *(et, ou)* et les prépositions *(à, de)* n'ont l'air de rien, leur rôle est plus important que celui de l'adverbe *anticonstitutionnellement*. Pour tout le vocabulaire, cette remarque vaut.

Les suffixes sont d'humbles syllabes sans existence autonome. *Anticonstitutionnellement* en compte trois *(-tion, -el, -ement)*. On ne les voit pas si l'on n'y prend pas garde, mais ce qui est minuscule a une valeur inestimable. Sans eux, nous n'aurions pas le dixième de nos mots.

Prenez le verbe décrocher, dérivé du mot croc grâce au préfixe *dé-*. Un décrochement de terrain (grâce au suffixe *-ement*) provient d'un décrochage (grâce au suffixe *-age*). Paver : le pavement d'une rue s'obtient par son pavage. Les suffixes *-ement* et *-age* semblent liés étroitement. Du verbe marteler procède le martèlement qui est le bruit qu'on entend pendant le martelage. Du raclage résulte aussi un raclement et du battage un battement. Que produit l'évidage ? Évidemment un évidement.

Ainsi vont *-age* et *-ement* (distinct du suffixe *-ment* spécialiste des adverbes). Mais il faut l'avouer sans ambages : l'usage de ces suffixes irait plus simplement s'ils n'appartenaient pas au langage. Car l'idiome que nous avons reçu en héritage ne procède pas logiquement. Si un grattement succède en général à un grattage, un habillement souvent précède l'habillage et le repassage produit rarement un repassement. L'arrachage des mauvaises herbes ne produit dans nos cœurs aucun arrachement.

Le défrichage d'un sol se distingue malaisément de son défrichement. Le déchiffrement d'une lettre n'est pas obtenu par le déchiffrage d'une sonate. Avant d'écrire les notes, on trace la portée : cela s'appelle le réglage. Le règlement n'est pas le résultat du réglage, ni le raffinement celui du raffinage, et ce n'est pas non plus parce qu'on a de l'abattage qu'on risque de sombrer dans un grand abattement.

L'impression que cela m'a **fait** ou faite ?

Ce qu'il y a de bizarre, dans le participe passé, c'est son accord. Sa forme est en effet celle d'un adjectif, lequel varie sans qu'on ait besoin d'y réfléchir.

Tu es allé, tu es zélé : le participe et l'adjectif occupent une place similaire, et cette similitude se retrouve dans la variabilité : ils sont allés, ils sont zélés. Du point de vue de la grammaire, ce qui distingue les deux cas est cependant considérable : il est allé est un passé composé, il est zélé est un présent.

Puis viennent le verbe avoir et l'invariabilité, sauf lorsque ce à quoi le participe passé se rapporte directement « est placé avant » : règle source de tracas depuis quatre siècles et demi. Quatre siècles, c'est beaucoup, pour une langue inconnue du temps de Charlemagne ! Avec le verbe avoir, écrit Clément Marot (1496-1544), « le terme qui va devant/volontiers régit le suivant ». Cent ans plus tard, Vaugelas soutient ce choix. Il dit que Malherbe ne l'observe pas toujours, « mais c'est la faute de l'imprimeur ou que lui-même n'y prenait pas garde ».

Si une règle demande qu'on y pense, elle ne va pas de soi. « En toute la grammaire, insiste Vaugelas, il n'y a rien de plus important ni de plus ignoré. » Ne faut-il pas se méfier de ce qui est à la fois important et ignoré ? Nous ne parlons plus la langue des rois. Ce qui est important, c'est ce qui se dit communément sans y prendre garde.

Souvent, la langue parlée n'accorde pas le participe passé dans les propositions relatives introduites par que. « Les bêtises qu'il a dit », « les affaires qu'on m'a pris » sont des tournures plus fréquentes qu'on ne le croit dans la bouche de ceux qui ne s'écoutent pas parler. Il n'est pas certain, cependant, que les mêmes ne remarquent pas le solécisme, quand ils peuvent l'entendre grâce à un enregistrement de leur voix.

Pourtant, André Thérive (1891-1967) note le cas suivant : « Je ne puis vous dire l'impression que cela m'a fait. » Pour lui, « l'impression que cela m'a faite » est théoriquement correcte, mais choque. « Il n'y a pas un pédant qui oserait faire l'accord dans une telle occasion, malgré les lois formelles de la grammaire », assure-t-il. Et de conclure hâtivement : « Avouons que la règle est morte et donc néfaste »... Et nous, tous autant que nous sommes, cette « impression que cela m'a faite », quelle impression cela nous a fait ?

Fille ou ville ?

Les rapports de l'écriture et de la parole sont simples : il y a les sons transcrits de plusieurs façons et il y a les graphies représentant plusieurs sons. Dans la première catégorie, on trouve les mots *ceint, cinq, sain, saint, sein, seing*. Pour la seconde, signalons que le *gn* du *gnon* est autre dans le *gnou* ; que l'*aye* de l'*abbaye* diffère dans la *paye* mais aussi dans la *papaye* ; que le *pt* de la *sculpture* n'est pas celui de la *capture* ; que les poules du *couvent couvent* ; que les jeunes gens qui décident de ne plus vivre au jour le jour *expédient l'expédient*. En somme, personne ne peut déduire, à partir de ce qui est prononcé, l'orthographe qu'il faut écrire ; et personne, à partir de ce qui est écrit, ne peut imaginer les sons à articuler.

La plus grande incertitude règne dans la langue française. Le doute pèse particulièrement sur la prononciation du groupe de lettres *ill*. Tout le monde déchiffre encore à haute voix les mots *ville* et *bille* sans se tromper. De même, dans leur sillage, le *village* et le *pillage*. Mais le *trille* nous titille. Voici à peine plus d'un siècle, il était conseillé de prononcer le trille

comme la *ville* ; or, c'est avec la *bille* que nous le fai-
sons rimer. Et le verbe *titiller* ? Nous ne l'articulons
plus guère, non plus, comme naguère, vu qu'il était
traité comme les verbes *instiller, distiller, osciller* : on
disait « *titil/ler* » et non pas « *titi/yer* ». Mais, vous-
mêmes, que dites-vous ? « *Osci/yer* » ou « *oscil/ler* » ?

Si l'on en croit les vieux dictionnaires, le verbe
vaciller se prononce « *vacil/ler* », en séparant les
deux *l*, et le groupe de lettres *ill* ne doit en aucun cas
être prononcé comme un *y*. Les mots ont changé dans
nos bouches, puisque nous prononçons « *fiye* » le mot
fille, « *quincayer* » le mot *quincaillier,* ou « *cuiyère* »
le mot *cuiller.* Il y a cent cinquante ans, *ill* représen-
tait un *l* mouillé dans ces cas, c'est-à-dire une
consonne que nous ne connaissons plus : c'est
« *fill/lye* », « *quincail/lier* », « *cuill/lière* » qu'il fallait
dire... et cela ne simplifie pas le problème. Ce n'est
pas ce que nous disons, mais ce n'est pas non plus ce
que nous voudrions dire.

Fils ou beau-gendre ?

À choses nouvelles, mots nouveaux. Des commissions ministérielles ont pour tâche d'en inventer. Et même, une Commission générale de terminologie et de néologie gère, sous l'autorité de l'Académie française, ce labeur respectable. Les résultats paraissent au *Journal officiel*. En voici quelques-uns : discompte (et non discount), marchandisage (et non merchandising), mercatique (et non marketing).

Ces mots ne font pas partie du langage général. Qu'ils passent ou non dans l'usage, ils appartiennent à la sphère du travail, ce sont des mots techniques. En outre, il s'agit de transpositions imitant des termes anglais, et non de véritables créations. Or, c'est aussi dans la sphère générale de la vie quotidienne que nous manquons de mots exacts. Exemple : le beau-père. Est-ce le nouveau mari de la mère (en anglais, *stepfather*), ou bien le père de l'époux (en anglais *father-in-law*) ? La belle-mère est-elle la mère du conjoint ou la nouvelle femme du père ? Beau-frère, belle-sœur, belle-fille sont aussi imprécis.

La complexité des familles contemporaines ne semble pas intéresser le français. Il reste dans le flou. Il ne le fit pas toujours : la belle-mère n'était pas la marâtre et, aujourd'hui encore, si la bru ne se dit plus, la persistance du gendre permet de le distinguer quelquefois du beau-fils.

Beau est ici un terme d'affection qui s'est attaché aux termes de parenté par alliance ; mais ce qui lie l'époux et la fille que son épouse a eue d'un premier lit est-il équivalent au rapport qu'entretient ce père avec la femme de son fils ? Autrement dit, le mari de sa belle-fille est-il son fils ou son beau-gendre ? Nos commissions de néologie ont du pain sur la planche.

L'**homme** ou un homme ?

Qu'est-ce qu'homme ? À cette question, que répondre, sinon qu'homme est un nom ? Homme est une composition de sons, un élément de la langue, un nom distinct d'adonis et de zigoto, mais dont la signification exacte reste hors d'atteinte, parce qu'elle est indéterminée. Quand *homme* seulement est prononcé, rien n'est délimité, aucun choix n'est suggéré parmi les divers sens d'un terme dont de gros dictionnaires donnent une trentaine d'acceptions.

Ajoutez un article, tout change. Qu'est-ce que l'homme ? Sauf si l'on est de mauvaise humeur, on ne répondra pas, cette fois, que l'homme est un nom. Précédé d'un article, le mot sort du dictionnaire. Entraîné dans les rets des phrases, il exprime réellement une certaine partie du sens possible du mot homme.

Qu'est-ce qu'homme ? Rien qu'un nom. Qu'est-ce que l'homme ? Chacun a ses réponses, selon qu'il s'agit de l'homme en général, de l'homme et non de la femme, de l'homme distingué de l'enfant, etc.

L'article est un indicateur de sens. Ce pauvre petit mot très court n'est qu'une partie infime du contexte dans lequel le nom est mis. Pourtant, par un simple jeu d'articles, une distinction s'établit entre *l'homme* et *un homme*. « Il vient de mourir un homme qui faisait honneur à l'homme », dit un certain Montecuculli à la mort de Turenne (cité par Gustave Guillaume dans *Le Problème de l'article et sa solution dans la langue française*). Chacun comprend qu'« un homme » désigne le défunt, tandis que « l'homme » fait référence à l'humanité.

Le 21 juillet 1969, posant le pied sur la Lune, Neil Armstrong prononça cette parole historique : « Un petit pas pour l'homme, un bond de géant pour l'humanité » (« *That's one small step for a man, one giant leap for mankind* » — il est possible après tout qu'Armstrong ait dit « *for man* » et non pas « *for a man* »). Cette opposition rhétorique (nous parlons de l'opposition établie par les traducteurs français) n'a pas grand sens. Car « l'homme », qu'est-ce d'autre, ici, que l'humanité ? Il eût mieux valu traduire : « Un petit pas pour un homme (un homme : moi, Neil Armstrong), un bond de géant pour l'humanité. » Plus raccourci encore : « Un petit pas pour un homme, un bond de géant pour l'homme. » Le changement d'article équivaut à un changement de mot.

L'**hyène** ou la hyène ?

Le *h* aspiré est-il vraiment français ? La question est posée par les petits enfants, qui apprennent à parler en imitant ce qu'ils entendent et qui ne le distinguent pas aisément de l'*h* muet. Même quand leur entourage cause impeccablement, ces jeunes découvreurs des finesses de la langue vous diront qu'ils n'aiment pas les-z-haricots princesse.

Cette manière de parler ne leur est d'ailleurs pas propre, puisqu'on a pu déplorer que la langue populaire ne respecte guère la disjonction devant le *h* aspiré. Conséquence logique, les parents reprennent les enfants, car il ferait beau voir que ces fiers rejetons parlassent populairement ! Et c'est ainsi, sans doute, que le *h* aspiré se maintient.

On n'insistera jamais trop sur l'importance qu'eut naguère la prononciation du *h*. Il ne fallait pas (et il ne faut toujours pas !) dire l'haricot, l'héros (quoiqu'il y ait l'héroïne), l'harnachement, l'handicap. À côté de cela, parler de l'hyène passait pour « distingué ». *La* hyène était populaire, tandis que *le* hangar était du meilleur goût. Pourquoi pas ?

De nos jours encore on trouverait des spécialistes pour se plaindre du sort fait à la pauvre hyène ! Ils justifient en général la « bonne prononciation » par l'étymologie (hyène vient du grec *huaina*), ce qui revient à viser à côté de la cible. Le petit problème de l'hyène ne réside pas dans son *h*, mais dans l'articulation de la syllabe *yèn* , quelle que soit sa graphie. Certains disent *la hyène*, parce que c'est plus commode, comme il arrive aussi que l'on dise *la ouate*, prononciation quand même plus facile que *l'ouate*. On parlera aussi d'une pièce de Ionesco, et non pas d'Ionesco qui essouffle et emporte la bouche.

Autre cas : l'hiatus, prononcé *le hiatus*. Si l'*i* s'articulait séparément de l'*a* (comme dans *il pria*, par exemple), la prononciation de l'hiatus (l'*hi/a/tus*, trois syllabes) irait de soi, bien sûr. Mais comme le mot hiatus n'a plus que deux syllabes, l'élision de l'article devient une acrobatie. Le problème est le *ia*, l'*h* n'a rien à y voir.

Ici ou là ?

Ici et *là* : ce mot-ci (c'est-à-dire le mot *là*) est plus fréquent que l'autre. Même chose pour *voilà*, qu'on emploie couramment à la place de *voici*, ou encore pour *cela*, qui marche sur les pieds de *ceci*. « Je veux te dire cela : le français n'est pas facile. » Eh bien, non, ce n'est pas *cela* qu'il faut dire, c'est *ceci*.

La raison du succès de *-là* et de la modestie de *-ci* est peut-être que *voilà* se prononce plus facilement que *voici* : tout le monde peut dire « le v'là », personne n'articule « le v'ci ». *Cela* se raccourcit en *ça* (« ça parle, ça fait du bruit, ça gesticule, ça s'agite »), tandis que *ci* signifie rarement *ceci* (« comme ci comme ça »), mais plus souvent *ici* (« ci-gît »).

En outre, il y a aussi plus de *là* que d'*ici*, car, pour un seul *ici*, qui est le lieu où je me tiens, il y a *là, là, là* et *là,* qui désignent autant de places dans lesquelles je ne suis pas (cette remarque ne concerne pas les personnes douées d'ubiquité).

Il n'y a pas d'*ici-haut*, mais, pour le seul *ici-bas*, on a encore deux *là* : *là-haut* (le ciel) et *là-bas* (à l'origine « là en bas », c'est-à-dire en enfer, sens qu'on rencontre encore chez La Fontaine et qui est bien présent dans le *Là-Bas* de Huysmans).

Cette pléthore de *-là*, qui fait qu'on dit *cela* lorsqu'on parle de *ceci*, et même cette chose-*là* quand il s'agit de celle-*ci*, n'empêche pas le distinguo de faire de la résistance. Dans un traité de paix signé par deux ennemis, *celui-ci* et *celui-là* ne peuvent pas se rapporter à l'un et l'autre camp d'une manière indifférente.

Distinguo n° 1 : *-ci* est plus proche que *-là* (comme dans *ici*, où je suis, et *là*, où je ne suis pas) et se rapporte donc à la dernière chose nommée. *Celui-ci*, c'est « ce dernier » ; *celui-là*, c'est « le premier des deux que j'ai nommés ».

Distinguo n° 2 : *-ci* annonce ce qui va suivre et *-là* rappelle ce qui précède. Exemple : « Ce qui est sûr, le voici : le français n'est pas facile. – Cette langue est ardue, voilà ce qui est certain. »

En résumé, pour éviter toute confusion possible, il est admis que *-ci* désigne ce qui est proche ou ce qui va suivre, tandis que *-là* renvoie à ce qui est plus éloigné ou à ce qui précède.

Tenant compte de cela, on peut écrire ceci dans la plus claire des langues : « Être pauvre et bien portant, ceci compense cela, et cela vaut mieux que ceci : être riche et malade. »

La **jeunesse** ou les jeunes ?

Il y a belle lurette qu'on ne parle plus de « la jeunesse épatante de notre beau pays », c'est ringard, place aux *jeunes*. Mais les jeunes et la jeunesse ne sont pas synonymes.

La jeunesse a toujours été célébrée, tandis que le mot jeune est péjoratif. « Je suis jeune, il est vrai... », proteste Rodrigue devant le père de Chimène, dans *le Cid* de Corneille ; voir aussi l'emploi populaire : « Tes efforts, c'est bien beau, mais ça reste un peu jeune. » Quant au substantif *les jeunes*, il fut longtemps réservé aux petits des animaux. Ce n'est plus le cas, les jeunes sont sur toutes les lèvres : insolence des jeunes, nonchalance des jeunes, insertion des jeunes, délinquance des jeunes, etc.

Le jeune s'oppose à *l'adulte*, mais pas depuis toujours. Il y a trois cents ans (ce qui fait quand même une moyenne de douze générations), le mot *adulte* était rare et pouvait signifier « qui entre dans l'adolescence ». Au XIXᵉ siècle encore, l'adulte désignait aussi bien un adolescent.

Désormais, l'un est le contraire de l'autre et réciproquement. Or, cela n'est pas vrai, bien sûr !

L'adulte n'est pas le contraire du jeune, sauf à confondre âge physique et âge mental. Le couple jeunes/adultes ramène à une altérité biologique (l'*adultus* a fini de grandir et n'est plus l'*adolescens*, celui qui est en train de croître) une différenciation qui est aussi bien morale, mentale, sociale : il y a le temps de la jeunesse et celui de la maturité.

Les jeunes ne forment pas toute la jeunesse, parce que les adultes ne sont pas tous d'âge mûr. Il y a de jeunes adultes, heureusement ! Ils ont fini de grandir, ils sont même, peut-être, autonomes et responsables, « insérés » dans la société, mais ils n'ont pas encore atteint leur pleine maturité. Ils font partie de la jeunesse, comme leurs cadets adolescent, mais ne sont pas *des jeunes*.

La jeunesse est une chaîne d'âges, qui englobe la fin de l'enfance et la début de l'âge adulte. *Les jeunes*, ce sont des enfants et des adolescents séparés des adultes parce que la chaîne est rompue.

Litote ou euphémisme ?

Vous ragez, vous râlez encore, parce que vous n'étiez pas invité, hier soir, à telle soirée. Or, voici Anatole : « Tu n'as rien perdu, vous dit-il, ce n'était pas marrant. Et quand je te dis pas marrant, c'est un euphémisme. » Survient Isidore. Il vous raconte, à l'inverse, l'air réjoui : « Le dîner était d'un bon !... Tu as raté quelque chose, car, quand je te dis d'un bon, c'est un euphémisme. » À l'un comme à l'autre, que répondre ? Je conseille ceci : « Euphémisme ou litote ? » et de passer son chemin (ou de parler d'autre chose).

La litote consiste à dire moins pour faire entendre plus. Vos deux amis, soit que la soirée fût plus que pas marrante ou que la chère ait été plus que bonne, manient la litote. Chimène dit à Rodrigue : « Va, je ne te hais point. » Vos deux compères auraient ajouté : « Et quand je te dis que je ne te hais point, c'est un euphémisme ! » Eh bien, non, c'est une litote.

Lui, il vient de tuer son père, à elle. Si, elle, elle lui dit qu'elle ne le hait point, c'est que son sentiment est tout de même extraordinaire. Dire « je ne te hais point » à celui qui vient juste de supprimer votre père (*supprimer* est d'ailleurs un euphémisme pour *tuer*), c'est avouer qu'on l'aime plus qu'il n'est commun de le faire, et c'est ce qui s'appelle dire le moins pour le plus (définition de la litote).

Mais Chimène pouvait-elle carrément dire « je t'aime » au rejeton de don Diègue par-dessus le cadavre encore chaud du papa ? Cela eût été odieux. C'est pourquoi le « je ne te hais point », régulièrement cité comme litote exemplaire, est aussi un euphémisme, « figure par laquelle on déguise des idées désagréables ou odieuses sous des noms qui ne sont pas ceux de ces idées » (définition de Dumarsais dans son *Traité des tropes*, en 1730 !). Idée désagréable : l'argent. « Un ouvrier qui attend son payement, au lieu de dire payez-moi dit par euphémisme : n'y a-t-il plus rien à faire ? » (exemple donné par Dumarsais). Idée odieuse : aimer l'assassin du père. Une fille qui se retrouve face à ce criminel, au lieu de dire marions-nous quand même dit par euphémisme : va, je ne te hais point.

Masculin ou invariable ?

Il y a les gens qui parlent et il y a les grammairiens qui les surveillent. Les premiers disent ce qu'ils disent, les seconds interprètent ces dires à leur manière. Exemple : nous, les pauvres locuteurs, racontons que Pierre et Marie ont été conduits en ville par Jacques. Les grammairiens édictent que « conduits » est au masculin pluriel, malgré la présence de Marie.

Mais voici que nous autres, les pauvres locuteurs, répétons que Jacques a conduit Pierre et Marie en ville. Et nos grammairiens de décréter que « conduit » est bien invariable dans ce cas.

« Conduits » est masculin, mais « conduit » est invariable. Cette différence de traitement de la question du genre est assez étonnante. Car si « conduits » est traité de masculin pluriel, alors on ne voit pas pourquoi « conduit » n'est pas qualifié de masculin singulier.

Inversement, si de doctes grammairiens tiennent à qualifier « conduit » d'invariable dans le cas concerné, on se demande quelle mouche a bien pu les piquer pour qu'ils considèrent « conduits », lui, comme un masculin pluriel, au lieu de reconnaître qu'il est invariable en genre.

Vous me direz qu'en français *invariable* et *masculin* reviennent au même. C'est vrai dans nos conversations à bâtons rompus, dans nos palabres de gens qui parlent, mais ce n'est pas vrai dans les leçons des grammairiens. Du point de vue de la grammaire, ce qui est invariable obéit à une cause d'invariabilité qui supprime justement la question du genre.

« Pierre et Marie ont été conduits. » Lorsque des grammairiens décrivent « conduits » comme un masculin pluriel, il leur reste à imaginer d'où ce masculin vient. Explication de Vaugelas : c'est parce que « le genre masculin est le plus noble ». Pour d'autres, il est le plus fort (« le masculin l'emporte »), etc.

Or, non seulement le genre masculin n'est évidemment pas plus noble ni plus fort que le féminin, mais il a beaucoup moins d'existence. En latin, l'adjectif bon se dit *bonus* au masculin, *bona* au féminin. On perçoit la racine commune, *bon*, et les terminaisons *us* pour le masculin, *a* pour le féminin. En français, le masculin n'a pas de forme propre, il se confond avec la racine. De mâles grammairiens en profitent pour dire que le masculin « l'emporte », mais leur grammaire aboie et les locutrices passent.

Majuscule ou capitale ?

L'*a* n'est pas un *o*, l'*i* n'est pas un *r*, ni un *t*, ni un *e*, surtout depuis que Gutenberg a fait un sort à la plume. On lit vite, sans effort. Avant l'imprimerie, on ânonnait devant des portées manuscrites, butant sur des symboles quasi ésotériques et des caprices de scribes. Il y eut même un temps où les mots remplissaient les lignes sans espacement. Le lecteur doutait de pouvoir aller au bas d'une page en gardant à l'esprit le sujet du début.

Principe de l'alphabet : chaque lettre est différente. Mais elle l'est à ce point qu'il faut compter pour chacune avec le style de chacun. Penchées, droites, tordues, arrondies ou pointues, esquissées à grands traits, les lettres existent-elles ? L'imprimerie les réduit à une forme idéale. D'autres façons d'écrire préfèrent les hiéroglyphes ou les idéogrammes. Nous avons l'alphabet.

Vingt-six lettres ici, trente-deux en cyrillique (sans compter les variantes). Et chacune de ces lettres possède sa majuscule, qui souvent ne lui ressemble pas. Ce n'est pas par la taille que l'*A* diffère de l'*a*, c'est par son dessin même. Un *E* n'est pas un *e* qu'on aurait agrandi et nos lettres sont donc plus nombreuses qu'on ne le dit. Vingt-six lettres, pourtant ! Cela ne suffisait pas. Il fallait inventer, bien sûr, les capitales.

Le fait est que le Vice-Adjoint Principal Chargé Des Réclamations Et Autres Doléances a tout de même plus d'allure que son collègue obscur aux tâches identiques écrites en minuscules. La Grande Histoire plane loin au-dessus de nos histoires et le Sommet des Sept Grands a quelque chose d'imposant. Quelque chose, oui, mais quoi ? Les lettres capitales sont-elles si grandes que cela ?

Le suffixe accolé aux deux premières syllabes du terme majuscule (*majus* signifie « plus grand ») se retrouve dans minuscule, groupuscule, homoncule, corpuscule, monticule. Or, qu'est un monticule d'autre qu'un « petit » mont ? Qu'est-ce que le ridicule, si ce n'est seulement ce qui fait rire « un peu » ?

Minima ou minimums ?

Le pluriel se construit par adjonction de la lettre *s*. Un âne, des ânes. Bien sûr, il y a le cas des huit mots en -*ail* qui ne se comportent pas comme attirail ou caravansérail (bail, corail, émail, fermail, soupirail, travail, vantail, vitrail). Il y a aussi les mots en -*al*, qui ont eux-mêmes leurs exceptions (des festivals estivaux). Il y a les cieux et les ciels, les yeux et les œils-de-bœuf... Bref, beaucoup de fantaisies (dont celle des noms en -*ou*) qui n'affaiblissent pas la règle : la marque du pluriel est un *s* qui s'ajoute au singulier... à moins que celui-ci ne se termine par *s, x* ou *z*.

Pourtant, le pluriel de lobby est souvent écrit lobbies et quelquefois vaguement prononcé « à l'anglaise » (« *lobise* »), alors qu'en français la marque *s* du pluriel ne s'entend pas. On rencontre d'autres mots dont le pluriel hésite entre la forme anglo-saxonne et la forme française : match(e)s, sandwich(e)s... Mais on entend rarement prononcer « *matchise* » ou « *sandouitchise* ». Même constat avec des mots d'origine espagnole : un conquistador, des conquistadores (mais un matador, des mata-dors) ; la prononciation du pluriel est rare (cela donne en France du Nord quelque chose comme « *conquistadorze* »).

Doit-on en conclure qu'une nouvelle forme de pluriel apparaît en français : l'adjonction de *es* et non plus de *s* ? Il semble que la graphie « lobbies » signifie au contraire que ce mot n'est pas encore tout à fait intégré dans cette langue, où le pluriel naturel serait lobbys (comme on écrit dandys).

Écrire matches plutôt que matchs et conquista-dores plutôt que conquistadors, c'est signaler que ces mots ne sont pas français ou qu'ils ne le sont pas de longue date. Lente est l'intégration ! Dans le même ordre d'idées, on rencontre parfois des impresarii (imprésarios), des scenarii (scénarios), des minima sociaux (minimums)... À la place des mémorandums, des quotas, des villas, des fémurs, des humérus, des papyrus... pourquoi pas des memoranda, des quotae, des villae, des femores, des humeri, des papyri ?

Premier ou première
ministre ?

L'adjectif n'a pas de genre : froid, froide, c'est la même notion. D'où la nécessité, pour cette espèce de mot, d'exister formellement sous les deux genres, puisqu'elle doit s'accorder avec le nom, lequel a un genre invariable : le froid.

On aura beau souhaiter pouvoir féminiser tout ce qu'on voudra, le froid existe, la froide n'existe pas. Les noms ont un genre et un seul, ce sont les adjectifs qui s'adaptent. Belle est le féminin de beau, mais une belle vaisselle n'est pas le féminin d'un beau vaisseau. Le féminin de chapeau n'est pas chapelle.

Si l'on s'appuie sur l'étymologie, il est clair que la poêle (en latin *patella*) n'est pas le féminin du poêle (*pensilis*), ni le somme (*somnus*) l'équivalent masculin de la somme (*summa*). À la différence des adjectifs, les noms sont d'un genre et d'un seul. Changer de genre, c'est changer de nom (ou fabriquer un mot qui n'existe pas).

Ah ! mais pas du tout, dira-t-on, ce n'est pas si simple ! Il y a des mots qui changent de genre sans changer de sens, comme amour, délice et orgue : un orgue, les grandes orgues ; un bel amour, de belles amours... Nous ne réfuterons pas ici ces cas exceptionnels, quoiqu'ils ne soient pas sûrs. Les grandes orgues désignent un unique instrument (les grandes orgues de la cathédrale) ; s'il s'agit de l'orgue de Barbarie, vous pouvez bien le mettre au pluriel sans lui ôter son masculin.

Plus intrigants sont les noms dont l'emploi se passe du genre. Ainsi en va-t-il de l'ambage, qui ne s'utilise qu'au pluriel et seul, dans l'expression « sans ambages ». Quel est le genre d'ambages ? Quel est celui de conteste, sans conteste ?

Le voisin a pour équivalent féminin la voisine, parallèlement à l'existence de l'adjectif « voisin, voisine ». Mais la maire, équivalent féminin du maire, ne s'appuie pas sur grand-chose, non plus que la « défenseure » par rapport au défenseur. Solution plus facile : la procureuse de Porthos, bien sûr, surtout depuis qu'Alexandre Dumas est entré au Panthéon pour son bicentenaire et que tout le monde a relu *les Trois Mousquetaires* ! Quand même, qui croirait que MMmes Cresson, Gandhi, Meir ou Thatcher eussent été des premières ministres ? Les adjectifs s'accordent autant qu'on veut (sauf bien : c'est une femme bien), mais le genre des noms change moins facilement.

Mort ou mouru ?

Les grammairiens sont comme Le Nôtre, ils aiment que les langues ressemblent à ses jardins. Eh bien ! qu'à cela ne tienne ! Dans la jungle des mots, qui n'est pas un taillis de baliveaux équiennes, les participes passés se présentent sur trois rangs où l'on ne voit qu'une seule lettre : ceux de gauche finissent par *é* ; au milieu, ils s'achèvent par *i* ; à droite, un *u* les termine. Avec trois pauvres voyelles, vous classez la plupart des participes. Quel ordre ! quelle netteté ! La langue est devant vous, raide comme une armée.

Ceux qui ont une idée du désordre inextricable de la conjugaison française apprécieront cet effort, mais le tri a été rapide. Naître est dans la troupe des *é* avec aimer ; connaître, dans le groupe des *u*, avec vivre... Qu'importe ! Le participe passé est proprement classé.

On ne sait pas trop où se trouve gésir. On doute que paître et pouvoir partagent le même pu et que, parmi ces *u*, figure le verbe tistre, ancêtre de tisser, dont le participe nous reste sous l'aspect du tissu (« J'ai tissu le lien malheureux Dont tu viens d'éprouver les détestables nœuds », Racine). On ne cherche pas absolu, qui n'est qu'un nom ou un adjectif.

Absoudre fait absous (au féminin, absoute). Un quatrième rang est donc nécessaire, pour les récalcitrants qui ne sont pas en *é*, ni en *i*, ni en *u*, mais en *s* ou en *t*. Assis, clos, feint, mis, pris, souffert et beaucoup d'autres y ont leur place de fossiles dont la consonne finale est issue (issu du verbe issir) du latin. On y rencontre occis (*occisum*) et mort (*mortuum*).

Les enfants ne veulent pas entendre parler de ces participes hasardeux. Si cela dépendait d'eux, peint serait depuis longtemps devenu peindu (« mon papa a repeindu ma chambre »), et « le chat est mort hier » se dirait « il a mouru ». Ce serait plus régulier, en effet.

À l'heure où on le fait savoir dans un souffle, « Ah ! je meurs ! » est une réalité qui dure. Le lendemain, « il est mort » ne parle pas de la même durée. Ce n'est pas forcément un passé composé, c'est peut-être un présent : il est petit, il est grand, il est vivant, il est mort. Le petit chat est mort parce qu'il a trépassé. Il est mort (désormais) parce qu'il est mort (hier) et, s'il est mort hier, c'est qu'il n'était pas mort. Mais s'il n'était pas mort et que, maintenant, il l'est, comment cela se fait-il ? C'est qu'il est mort, bien sûr, et donc qu'il a mouru.

Le « Normandie »
ou la « Normandie » ?

Mermoz disparut en mer en 1936, à bord d'un hydravion baptisé *Croix-du-Sud*. Était-ce le ou la *Croix-du-Sud* ? Quelle logique fixe donc le genre des noms des nefs et des aéronefs ?

Prenez les types d'avions. On parlera d'un Falcon 900 ou d'une Caravelle 12 sans hésiter. Rien de plus simple, en effet : Falcon est un mot étranger, tandis que le mot caravelle est féminin en français. Peut-être, mais le mot concorde n'est ni étranger (l'avion supersonique ne s'appelle pas « Concord »), ni masculin. Or, on dit un Concorde.

Prenez les hélicoptères : une Alouette, un Puma, pas de problème. Prenez les bateaux. *Corse,* paquebot-transbordeur de la Compagnie générale maritime et financière (CGMF) : faut-il dire le ou la *Corse* ? La Compagnie générale transatlantique (ancêtre de la CGMF) décida un beau jour de ne plus mettre d'article devant le nom de ses paquebots. *Napoléon* arrive à huit heures et *Danielle-Casanova* à midi. Le français ne se passe pas facilement de l'article. On appelle *Atlantis* ou *Discovery* les navettes spatiales américaines, mais c'est parce qu'elles sont américaines.

L'Académie, sollicitée à propos du *Liberté*, estima qu'il fallait dire la *Liberté*, conformément à la tradition de l'Ancien Régime selon laquelle le genre du nom du navire était celui qu'avait ce nom dans la langue courante (usage réaffirmé dans des circulaires ministérielles, en 1934 pour la marine de guerre, en 1955 pour la marine marchande).

Pourtant, tout le monde dit le *Normandie*, « parce que c'était un paquebot », me souffle-t-on. Le *Normandie* est masculin parce que le type de bateau est sous-entendu : le (paquebot) *Normandie*. Peut-être. Mais il ne viendrait à l'idée de personne de dire la *Sphinx* bien qu'il s'agisse d'une corvette.

Quelle inégalité règne parmi les genres ! Quand le nom du navire est masculin dans la langue courante, il ne change pas de genre si le type de bateau est du genre féminin. Le *Floréal* est une corvette. Mais quand le nom du navire est féminin au départ, il devient masculin si le type de bateau est du genre masculin. Le *Turquoise* était un sous-marin (dont la construction fut arrêtée). Injuste, non ?

On ou nous ?

C'était pendant l'été. Des incendies criminels ravageaient le maquis corse. « On est fatigués de lutter contre le feu ! », s'exclama un pompier en colère, dont l'expression lassée fut reprise dans un journal. Déplorant le pluriel de l'adjectif *fatigué*, une main découpa l'article incriminé et me le fit parvenir, accompagné du commentaire suivant : « À la télévision, une publicité affiche : On est partis aux immanquables Peugeot. Que diable ! On ne dit pas : on sont fatigués, on sont partis !... Comment peut-on mettre un *s* à fatigué ? Que faire pour arrêter cette tendance ? »

On ne dit pas, en effet : *on* sont fatigués. Mais le roi non plus ne dit pas : *nous* suis satisfait, quoique le *nous* de majesté implique le singulier. « Vous êtes » commande aussi le singulier ou le pluriel. Les pronoms sont joueurs et, de tous les pronoms, *on* est le plus joueur.

Étant indéfini, *on* n'est pas un pronom personnel comme les autres, qu'il peut tous remplacer (il apporte, dans ce cas, une nuance stylistique). *On* est un *je* modeste : « En écrivant ce livre, on a voulu aller

à la rencontre du lecteur. » *On* est un *je* ironique :
« Comment vas-tu ? – On va, on va. » *On* est un *tu* dis-
cret : « Bonjour, comment se sent-on ? » *On* est un certain *il* : « Toi qui viens de chez lui, dis, comment l'on
s'y porte ? »…

L'accord de l'adjectif ou du participe passé
s'adapte à ces nuances. Quand ce qui est exprimé
n'est pas un masculin singulier, l'adjectif peut ne pas
être au masculin singulier. C'est ce que les savants
appellent une syllepse, mot grec qui signifie compré-
hension. La syllepse est un accord dû à d'autres raisons que celles d'une grammaire formelle : « Allons,
on est grande maintenant », dit la grand-mère à sa
petite-fille qui aimerait bien ne pas faire son lit.

Ce qui est peu défendable, ce n'est pas cet accord,
c'est l'emploi systématique d'*on* à la place de *nous*
sans nuance de style. « Qu'allez-vous faire aujour-
d'hui ? – Rien, on est fatigués. » Le problème n'est
pas le *s* de *fatigués*, mais la disparition du pronom
nous comme sujet.

Orthographe ou prononciation ?

De l'Académie française fondée par Richelieu à celle que l'on connaît, en passant par Voltaire, le fil qui court, c'est la clarté, « cette admirable clarté, base éternelle de notre langue », vantée par Rivarol dans son *Discours sur l'universalité de la langue française* (1783). Mais cette clarté qui court a l'aspect d'un furet. Elle court, elle court... et nous courons après !

Veut-on parler de la clarté des mots ? Il y a fort à craindre qu'elle ne soit pas si « claire ». Le français distingue, par exemple, la denture et la dentition. La première est l'ensemble des dents ; la seconde, la poussée des dents. Le distinguo est tranchant comme une incisive, mais qui, exactement, adulte, toutes dents poussées, parle de sa denture ? L'usage n'y incite guère et manque donc de clarté, mais le pire n'est pas là. Il est dans la distance immense qui sépare la langue écrite de la langue parlée.

On sait la différence, vulgarisée par Mérimée dans sa dictée, du cuissot (de chevreuil) et du cuisseau (de veau). Il y a cuissot et cuisseau ! Par écrit, c'est fort amusant, mais à l'oral, comment l'entendre ?

Comment Prosper prononçait-il ? Le distinguo était subtil, mais il échappe au français parlé.

La clarté tant vantée résiderait-elle, alors, plutôt dans la syntaxe ? C'était le point de vue de Rivarol. Mais lorsqu'au restaurant je commande des œufs au plat « que je souhaite assaisonner », je suggère qu'on me laisse les assaisonner moi-même ; tandis que si je demande une salade « que je préfère assaisonnée », j'émets un vœu tout autre en matière d'assaisonne-ment. Sur le papier, il n'y a pas plus simple, mais comment articuler cette différence radicale ?

Certains se plaignent que l'oral soit souvent « mal parlé ». Ils voient une faute dans le fait que l'on pro-nonce *lé* quand il s'agit de lait. Peut-être n'ont-ils pas tort, mais le fait est qu'en français, au moment où l'on parle, c'est ce qu'on écrirait qui est garant du sens. Si tant est qu'elle existe, là seul est la clarté vantée, et non, hélas ! au sortir des bouches. Ce n'est pas le cas dans d'autres langues. En français, l'orthographe est épaisse, mais la prononciation est plate.

S'ouvrir ou être ouvert ?

Dans les histoires, les objets vivent quand il fait noir. Les marionnettes se débarrassent de leurs fils, les peluches saluent les poupées, les recueils de contes de Mme d'Aulnoy et de Charles Perrault font la sarabande dans la bibliothèque.

C'est la nuit, les enfants rêvent, le monde est autre. L'est-il ? Dans nos bouches adultes, les choses n'attendent pas le soir, elles se comportent à plein temps comme des êtres vivants. Les maisons se construisent, les voyages s'effectuent, les pièces de théâtre se jouent. Une faculté extraordinaire anime des choses qu'à tort on croyait bâties par des ouvriers, accomplies par des voyageurs, interprétées par des acteurs... Ceux-ci rêvassent, sans doute, et, pendant ce temps-là, les maisons s'édifient, les spectacles se donnent... comme dans les contes de fées.

On me dira que non. Que « la maison se construit » ne veut pas dire qu'elle manie la pelle et la truelle. Qu'on ouvre des portes chaque jour, mais que chaque jour aussi l'on dit que des portes s'ouvrent. Et qu'une porte qui s'ouvre ne trouve pas en soi la force de le faire, tel un lis au printemps. Quelque chose ou quelqu'un, Paul, Pierre, un courant d'air, la pousse.

L'huis ne s'ouvre pas comme l'huître dans son parc. La seconde fait l'action, le premier la subit. Dans le cas du coquillage, s'ouvrir est la forme pronominale réfléchie du verbe ouvrir, le sujet agit sur lui-même ; pour la porte, on a affaire à la forme pronominale passive : le sujet subit l'action sans l'accomplir. C'est pourquoi l'on écrit qu'un spectacle se donne et qu'une maison se bâtit, sans prétendre que l'action se passe d'un agent. Mais cette tournure est si fréquente que son emploi paraît sans limite.

Dans les journaux, qu'ils soient du matin ou du soir, on lit régulièrement que tel projet de loi « se veut plus contraignant » ou que la négociation « se croit près d'aboutir ». Une chose peut-elle « se vouloir » ? Il est banal qu'une porte s'ouvre, mais que serait un vantail qui se croirait ouvert, sinon un battant qui pense... comme dans les rêves d'enfants et les contes de fées ?

Pallier ou pallier à ?

Jusqu'à plus ample informé, le verbe *se rappeler* se passe en général de la préposition *de*. On se rappelle quelque chose et non *de* quelque chose. C'est comme cela et pas autrement. On peut vitupérer la grammaire, on ne peut pas vitupérer *contre* elle.

Il y a des degrés dans le solécisme. Certains considèrent que *se rappeler de* est mauvais, et que *vitupérer contre* est tout ce qu'il y a de correct. Mais quel est l'intérêt de vitupérer *contre* une chose ? Cette chose, on la critique, on ne critique pas contre elle ; on la blâme avec franchise et sans intermédiaire.

Autre cas : *pallier à*. Pallier est un verbe transitif direct, qui signifie « remédier à quelque chose d'une manière incomplète ou provisoire », comme dans « pallier les conséquences d'une erreur ». L'emploi indirect, « pallier à un inconvénient », est signalé par les dictionnaires comme fautif. Il est pourtant courant et l'on peut se demander pourquoi l'erreur persiste.

« Il a pallié son crime avec tant d'adresse qu'il a fait entériner sa grâce. » L'exemple donné par Furetière dans son dictionnaire, en 1690, n'incite pas à écrire *pallier à,* parce que le sens n'est pas « il a remédié provisoirement à son crime », mais plutôt « il l'a excusé, adouci, déguisé ». *Pallier* veut dire dissimuler, cacher sous un *pallium* (manteau). « Circonstancier à confesse les défauts d'autrui, y pallier les siens » (La Bruyère) ; « Sa délation palliée de cet air de franchise » (Saint-Simon) ; « Pauline apporte tous ses soins à pallier les insuffisances d'Oscar, à les cacher aux yeux de tous » (Gide).

Dans ce dernier exemple, on doit craindre que *pallier* fasse désormais partie d'une langue morte ou étrangère, puisque Gide est contraint d'en donner la traduction. Il écrit d'ailleurs, autre part : « Tout ce que l'homme a inventé pour pallier aux conséquences de ses fautes... » La forme est critiquable, mais le sens est le nôtre.

Pallier a changé de sens et ce changement pèse sur sa construction. Parfois, ceux qui paraissent faire des « fautes » tirent en réalité spontanément les conséquences syntaxiques des glissements du sens.

Pas ou ne pas ?

Les mots qui servent à nier sont moins négatifs qu'on ne le croit. « Que je ne vous revoie jamais ! » est une négation de toute éventualité : jamais, au grand jamais je ne veux vous revoir. Mais « si je vous revois jamais » est une hypothèse dans laquelle jamais veut dire un jour. « Soyons amis à jamais » signifie « pour toujours ».

Jamais n'est pas jamais. Je ne marche pas, je n'écris point, je ne bois goutte : pas est un pas, point est un point, goutte est une goutte. On disait naguère : « Je ne mange mie. » Mie était une miette et non pas rien. Le rien, le carrément rien qui dit non, le contraire du oui, le nenni, ce n'est pas point, pas, goutte ni mie, c'est seulement le minuscule *ne*. Pas, point, mie, goutte sont positifs. Ils désignent des réalités élémentaires qui, niées, soutiennent évidemment la négation la plus grande. Si je ne marche *pas*, si je ne fais pas un pas, cela signifie clairement que je ne marche aucunement. Et si je n'écris *point*, si je n'écris même pas un point, cela veut nettement dire que je n'écris pas du tout.

En latin, la négation est un *non* [nonn'], un *nec*, voire un *haud* [haôd'], bien appuyés, toutes lettres prononcées. En français, ou dans ce qui allait devenir le français, le *non* latin se changea en un *nen* qui s'atténua en *ne*, deux lettres dont un *e*. Quand on sait la place que la langue parlée laisse à la voyelle *e*, on comprend qu'à nier, ce *ne* ne pouvait suffire. Il fallut le renforcer. D'où le recours aux petits mots que nous avons cités.

Le *ne* a d'ailleurs continué de s'affaiblir au point de disparaître dans la langue familière, ce qui fait de pas, point, goutte, jamais, aucun, etc., des termes négatifs à part entière : « j'en veux pas », « on y voit goutte », « tu dis jamais rien ». « Si tu dis jamais rien » signifie dans ce cas « si tu persistes à te taire ». Mais, dans une autre langue où c'est encore le mot *ne* qui porte la négation, le sens est au contraire « dans l'hypothèse où tu dirais quelque chose ». Exemple : « Si tu dis jamais rien d'utile, que ce soit quelque chose d'agréable. »

Pléonasme ou périssologie ?

Se succéder. Outre son participe passé invariable (« elles se sont succédé »), les grammairiens signalent un tour à éviter : « Ils se succèdent les uns aux autres. » Ce n'est pas une redondance, qui est le redoublement d'une idée dans deux propositions ou deux phrases, mais c'est un pléonasme, un redoublement de l'idée dans la même proposition. Et ce pléonasme est fautif.

Car il y a, bien sûr, pléonasme et pléonasme (*pleonasmos*, excès) ; l'utile, qui renforce le sens (exemple classique : « je l'ai vu de mes yeux »), et celui qui ne sert à rien tout en alourdissant la phrase. Le second porte le doux nom de périssologie. « Se succéder les uns aux autres » est une périssologie (*perissos*, superflu), parce que « les uns aux autres » est jugé superflu.

Tout cela est fort sensé, mais notez cette chose singulière : ce qui vaut au pluriel ne vaut pas au singulier. « Il se succède à lui-même » ne contient rien de superflu. Succéder, en effet, c'est prendre la place d'un autre et, pour se succéder, il faut donc être deux. Les saisons se succèdent, l'été ne se succède pas. En conséquence de quoi, on peut, de prime abord, juger qu'« il se succède » est dénué de sens. Si pourtant l'on veut le dire, on se trouve dans le cas d'insister, de manière à confirmer que c'est bien cela qu'on dit. « Se succéder à soi-même » est alors justifié : c'est prendre la place de soi, c'est-à-dire être multiple, comme sont, chacun le sait, les caméléons, les protées, les natures versatiles, les êtres lunatiques, les girouettes et autres entités polymorphes si humaines. Les avatars de Vichnou ne se succèdent pas les uns aux autres, mais, sous ces apparences, cette divinité se succède à elle-même.

Quelque un ou quelqu'un ?

Il y a deux élisions : la phonétique et la graphique. La première est fréquente quand nous parlons. Elle consiste à supprimer le son d'une voyelle. Par exemple, à prononcer *leau* l'enchaînement de l'article *la* et du nom *eau*. Au bout du stylo, l'élision graphique a pour signe l'apostrophe, comme dans *l'eau,* où un accent posé sur une absence de lettre figure l'élision de l'*a* de l'article *la*.

L'élision graphique transcrit l'élision phonétique. Autres exemples : la graphie *s'il pleut* reproduit l'élision du son *i* supplémentaire qu'il y aurait dans *si il pleut* ; *tu m'écoutes, je t'entends, il s'étonne* indiquent que le son *e* des pronoms *me, te, se,* suivi d'une voyelle, ne se prononce pas, etc.

Nous en resterions là et tout serait très simple, sans les tas d'élisions qui ne se notent pas. L'élision graphique (l'apostrophe) ne reproduit, en réalité, qu'une toute petite partie des élisions de la langue parlée. Pour quelques rares *e* de quelques rares mots brefs (*de, le, me, ne, que, se, te*) qui s'élident aussi dans la langue écrite, devant une voyelle, et sont remplacés par une apostrophe, combien d'*e* supprimés à l'oral restent intacts sur le papier ! Combien ? Tous. *La rose est belle et puis fanée* se prononce toujours mais ne s'écrit jamais *la ros' est bell' et puis fané'*.

Enfin, quand nous disons « tous », nous sommes à côté de la vérité, qui est complexe, bien sûr. L'*e* final de certains mots s'élide, à l'écrit, non pas devant toutes les voyelles, mais dans certains cas seulement. Il s'agit de l'*e* de *lorsque, puisque, quoique, presque, entre, quelque* (liste non exhaustive).

Presque : l'*e* final se change en apostrophe si cet adverbe fait partie d'un mot (*presqu'île*). De même, *entre* : on *s'entr'égorge* (apostrophe) *entre* amis (en deux mots) à *l'entracte* (sans apostrophe depuis longtemps). Celui de *quelque* subit le même sort devant *un (quelqu'un)*, mais pas devant *autre (quelque autre)*.

Devant *il(s), elle(s), on, un(e)* (beaucoup de grammairiens ajoutent *en* ; quelques-uns, *à* ; d'autres, *ainsi*), l'*e* de *lorsque, puisque, quoique* se transforme en apostrophe. Mais devant aucun autre mot qu'*il, elle, on, un...* ! Vous écrirez *puisqu'un* et pourtant *puisque aucun*, bien qu'à l'oreille l'*e* de *puisque* s'élide dans les deux cas. Pourquoi ce caprice, à l'écrit ?

Quoique il ou quoiqu'il ?

Quoique, puisque et *lorsque* ont d'étranges manières, résumées par Littré dans son vieux dictionnaire. « L'*e* de *puisque*, écrit-il, ne s'élide que s'il est suivi de *il, elle, on, un, une,* ou d'un mot avec lequel cette conjonction est immédiatement liée : *puisqu'ainsi, puisqu'il* le veut. Mais on écrira sans apostrophe : *puisque* aider les malheureux est un devoir. » Cet usage est toujours en vigueur.

En règle générale, la chute de l'*e* final devant une voyelle n'est pas transcrite. Pourquoi indiquerait-on l'élision de l'*e* de *table*, de *kiosque*, de *remorque*, bref, de tout *e* final, étant donné que cet *e* s'élide en permanence en région parisienne ? Dire que les roses sont belles ou que la rose est jolie, c'est prononcer *roz* dans les deux cas.

Exception : le mot *que* fait entendre le son *e*, car il n'a qu'une syllabe. Écrire *que avait* n'inciterait personne à prononcer « *kavait* ». L'apostrophe, dans ce cas, trouve un emploi utile. De même : *je, le, me, se, te, de*... Mais *lorsque, puisque, quoique ?*...

Entre l'*e* de la rose et celui de *que*, il y a l'*e* de *lorsque*, dont l'élision est notée parfois sur le papier et parfois ne l'est pas.

« *Lorsqu'il* vient à la Reine expliquer son amour »,
« *Lorsque* assurés de vaincre ils combattaient sous
vous » (Racine). L'élision est la même ; la manière
d'écrire, non. Une interrogation hante alors les
esprits : si *lorsque assurés de vaincre* se prononce
comme *remorque accrochée* et comme *kiosque à
musique*, pourquoi n'écrit-on pas également *lorsque
il vient* ?

Mais la question inverse s'insinue à son tour.
Quand on le lit, seul, dans le dictionnaire, *lorsque* se
prononce plutôt avec un *e* marqué, ce qui n'est pas le
cas des autres mots en *e*. On ne dit jamais une *remor-
queu*, mais on dit facilement *lorsqueu*.

La conjonction se souvient du *que* qui la compose.
En matière d'apostrophe, il serait donc raisonnable
de faire suivre à *lorsque, puisque* et *quoique* l'usage
qui vaut pour *que* et les composés de *que* (*avant que,
tandis que*, etc.). Si l'on écrit normalement « *alors
qu'*aider son prochain est une bonne chose », pourquoi n'écrit-on pas, quoi qu'en aient dit Littré et nos
actuels censeurs, « *puisqu'*aider les malheureux est
un devoir » ?

C'est un problème auquel on peut réfléchir, par
exemple, sur une plage à l'abri d'un parasol, ou bien
l'hiver chez soi, près de la cheminée où trois bûches
brûlent.

Se **rappeler** ou se souvenir ?

Pas français, *se rappeler de* ?... Le verbe *se rappeler* étant transitif direct, nous sommes en effet sommés de nous rappeler quelque chose et non *de* quelque chose. Pourtant, c'est « tu te rappelles du temps qu'il faisait ? », c'est « je m'en rappelle parfaitement bien », c'est « il se rappelle de tout, celui-là », qu'on entend la plupart du temps.

« La chose dont je me rappelle » est du français relâché. Cela vaut d'être noté, car le français relâché remplace plutôt, d'habitude, le pronom *dont* par un *que*. « La chose que je te parle », « je fais ce que j'ai envie », relèvent de ce français-là. « La chose que je me rappelle », elle, n'en relève pas. Ce cas est donc bizarre.

On sait que *se rappeler de* est une construction fautive, due à l'imitation de *se souvenir de*. Mais *se souvenir* n'est-il pas lui-même une copie fautive de *se rappeler* ?

Lorsque nous récitions *le Lac* de Lamartine, nous n'étions pas choqués par le « t'en souvient-il ? » (« Un soir, t'en souvient-il ? nous voguions en silence... »), quoique nous eussions, nous, écrit « t'en souviens-tu ». *Souvenir* fut d'abord un verbe impersonnel comme le verbe *pleu-voir*. Sous le pont Mirabeau, Apollinaire encore regarde couler la Seine « et nos amours, faut-il qu'il m'en souvienne »… et non « que je m'en souvienne » !

Si l'on y réfléchit, « je me souviens » est mal fait. *Souvenir*, c'est venir en dessous, dans la mémoire. Or, ce qui me vient en mémoire, ce n'est pas moi, c'est le souvenir. D'où la seule construction logique, « il me souvient », et non « je me souviens ». Au contraire, ce que je me rappelle, c'est bien ce que j'appelle à moi dans ma mémoire. *Souvenir* et *rappeler* ne sont pas synonymes. Et comme le français ne dit pas « on se *nous* rappelle », nous ne nous plaindrons pas qu'on se rappelle *de* nous.

Repartir ou répartir ?

Si partir, c'est mourir un peu, nos vieux gram-mairiens n'avaient pas tort de dire qu'on ne part pas *à* Paris, mais qu'on part *pour* Paris. Car ce n'est pas à Paris qu'on meurt un peu quand on s'y rend, mais c'est à l'endroit du départ.

Partir, c'est quitter un lieu. La vieille grammaire l'assurait donc : il ne faut pas dire « partir *en* Italie » ni « partir *en* voyage », car il ne s'agit pas de quitter un lieu *en* Italie ni *en* voyage ; il faut dire « partir *pour* l'Italie », « partir *pour* un voyage »...

La logique du raisonnement n'échappera à per-sonne, mais le problème est que personne ne s'ex-prime comme cela. Colère des grammairiens antiques ! Partir *à*..., partir *en*... ? Affreux provin-cialismes ! Illogisme plébéien ! Solécismes ignobles !... Partir n'en est pas mort.

Partir, c'est partager (du latin *partire*, diviser en parties). Le verbe ne s'emploie plus beaucoup dans ce sens-là. Une expression pourtant : « avoir maille à partir avec quelqu'un ». La maille en question est une toute petite pièce de très menue monnaie (un demi-denier) ; chercher à la « partir » revient à se quereller autour d'un partage impossible. Le partage est séparation. C'est cette séparation qui a été conservée dans notre verbe partir.

Ajoutez à cela que partir (partager) se conjuguait de la même façon que finir, ce qui n'est pas le cas de partir (s'éloigner). C'est pourquoi répartir (dérivé de partir au sens de partager) se conjugue comme finir, tandis que repartir (partir une deuxième fois, ou répondre vivement – ce qui est une manière aussi de se séparer) se conjugue comme partir au sens de s'éloigner...

Il répartissait les bénéfices puis repartait faire des affaires... Cela ne pose pas de problème. Mais, pour peu qu'il y eût un litige, se départait-il de son calme ou bien s'en départissait-il ? Les opinions sont partagées...

Rive ou dérive ?

La rive, celle du fleuve, peut-elle désigner aussi la côte de la mer ? Les opinions varient. Pour le Petit Larousse de 1950, la réponse est très nette : la rive, c'est le bord « d'un cours d'eau, d'un étang, d'un lac ». C'est le nom de la terre pour les marins d'eau douce. Trente ans plus tard, le même ouvrage affirme que la rive est une « bande de terre qui borde une étendue d'eau douce ou marine ». Les années passent, et nous en sommes, je crois, à une « bande de terre qui borde une étendue d'eau ». Pourtant, vue de la mer, la terre dont on s'approche ou s'éloigne n'est pas la rive, mais le rivage.

Notre ambition n'est pas de river son clou à la rive maritime. Quand même, sommes-nous riverains parce que nous partageons la même mer, ou bien la même rivière ? Et si nous sommes rivaux, n'est-ce pas parce que nous nous disputons l'eau du même ruisseau ?

La rive, c'est la rivière, et la rivière, c'est la rive : non seulement le bord du fleuve, mais toute la région ou tout le quartier qui s'étend de tel côté du cours d'eau. À Paris, la rive droite et la rive gauche.

On a pu faire paître en français « ses bœufs en la rivière qui était herbue » (traduction de Tite-Live par Bercheure, citée par Littré) et cela ne signifiait pas que les pauvres bêtes broutaient des algues. Mais, il faut bien l'admettre, la rive, la rivière, désignent ou désignèrent aussi le bord de la mer, où se trouve la Riviera.

Eau salée ou non, peu importe. Au bout du compte, la rive est restée à terre, tandis que la rivière a chu dans le ruisseau. La rive, c'est le sol, et la rivière, c'est l'eau. Quand on arrive à bon port, au sens propre du terme, on aborde, on accoste, on touche à la rive, on « à-rive ». Arriver est un terme de marine qui a oublié le goût de l'eau (cela arrive).

Il y a dériver et dériver. Quand Hercule dérive les eaux de l'Alphée pour nettoyer les écuries d'Augias, il fait changer ces eaux de lit, il les « dé-rive ». Mais quand un bateau dérive ou que quelqu'un, hélas, s'en va « à la dérive » (belle chanson de Fréhel), entraîné par le courant qui l'écarte de la route, nous sommes loin de la rive et c'est un dérivé de l'anglais (*to drive*) qui nous arrive.

Un autre dérivé de *to drive* est la « drave » (belle chanson de Félix Leclerc), c'est-à-dire le flottage du bois chez nos amis québécois ; en français plus classique, on « dérive le bois » en l'éloignant de la rive.

Rue Trévise ou de Trévise ?

Vous habitez avenue de Trévise, à Orléans, ou rue de Trévise, à Paris, ou dans une autre voie où Trévise est de mise. Le doute en vous s'insinue. Vous n'êtes pas sûr du nom de la rue. Trévise, de Trévise, de la Trévise ?

Les plaques sont précises, mais elles peuvent être fautives, car qu'est Trévise ? Un maréchal d'Empire, une ville de Vénétie, une salade ? Selon le cas, le nom change. S'il s'agit de la ville, c'est la rue de Trévise, comme il y a des rues de Venise. Pour la chicorée, cela donne rue de la Trévise. Quant à Adolphe Édouard Casimir Joseph Mortier, duc de Trévise (1768-1835), la réponse est moins ferme.

Prenez musées, hôpitaux, affaires, l'usage est le suivant : le musée Guimet, mais *de* la Marine ; l'hôpital Necker, mais *de* la Salpêtrière ; l'affaire Stavisky, mais *du* collier de la reine... Voici la recette, en deux points : 1. Quand le nom d'une personne devient le nom propre d'un lieu ou d'un événement, il n'y a pas de préposition : avenue Foch. 2. Quand ce nom de personne est précédé d'une fonction, d'un métier, d'un grade ou d'un titre, ou quand le nom n'est pas celui d'une personne, il y a une préposition :

rue du Maréchal-Foch, rue de la Paix, rue de Rome (mais rue Quincampoix, rue Montmartre).

Concernant le premier point, des linguistes notent un archaïsme, l'ancien français se passant de la préposition pour marquer la possession : le « temple Salomon » (le temple de Salomon) dans *la Chanson de Roland*. D'où l'Hôtel-Dieu, la rue Bonaparte. Mais l'hôtel de Sully et la rue de Choiseul ne sont pas de la paroisse. Ce *de*-là est, dit-on, nobiliaire. Pourquoi pas ? Mais le boulevard Beaumarchais et le pont Mirabeau ?

Revenons à Trévise. Une allée a ce nom à Sceaux. Est-ce l'allée Trévise ou l'allée *de* Trévise ? S'il est question du duc, l'une ou l'autre se disent, mais la première est meilleure. S'il s'agit du château dudit duc de Trévise (l'actuel château de Sceaux), ce n'est pas la personne, mais le lieu, que l'on vise et les deux sont permises, quoique la seconde soit d'usage.

Sacoche ou valoche ?

S'il ne fait pas beau, il fait moche. J'endosse mon mackintosch et je vais au cinoche le plus proche. Les mots en -*oche* sont divers. Il y a les latins sans reproche, comme la broche (*brocca*). Il y a les franciques sans anicroche, comme la poche (*pokka*), et les gaulois un peu plus moches, comme les galoches (*gallos,* pierre plate).

Il y a les hongrois tels que le coche (*kocsi,* grande voiture couverte), les espagnols comme le média-noche (*media noche,* minuit), les italiens sacoche, fantoche... L'italien *saccoccia* est dérivé de *sacco* (sac), avec ajout du suffixe -*occia*. Ce suffixe est intéressant, parce qu'il existe aussi en français : -*oche* est dans cette langue un suffixe familier, populaire, voire argotique.

On le rencontre dans pioche (petit pic), mais ce mot a su faire oublier sa modeste extraction. Il est aussi dans mioche (un peu de mie, un peu de quelque chose, puis un petit garçon), où sa basse naissance n'est pas dissimulée. Elle ne l'est pas non plus dans caboche, ni dans valoche ou fastoche, encore moins dans des termes comme bidoche et pétoche.

Ces mots existent cependant. *Oche* est un vrai suffixe, même s'il est populaire. Victor Hugo s'en sert dans le nom de Gavroche. Un exemple plus argotique est celui de la belle-mère appelée la belle-doche, comme on disait jadis du côté de la Bastille ou plutôt de la Bastoche.

La doche, c'est la mère, celle qu'Hervé Bazin appela un jour Folcoche. Le doche (le père) est dérivé de dabe, qui a le même sens et fut un terme de jeu employé dans un certain milieu pour désigner celui qui donne les cartes. Son respectable ancêtre est le latin *dabo* (je donnerai).

L'argot et le beau langage poussent sur la même roche, mais le cinoche n'a pas les manières de la sacoche. En français, le suffixe -*oche* est mal fréquenté, les mots qu'il permet de créer sont au mieux familiers ; mais lorsqu'il reproduit des sons venus d'ailleurs, il a sa place au salon.

L'un des **seuls** ou l'un des rares ?

Seul est un adjectif qui change de sens en changeant de place. Il n'est pas le seul dans ce cas : il y a les braves gens et les gens braves, les petites personnes et les personnes petites, les grands hommes et les hommes grands ; et il y a donc, également, les hommes seuls et les seuls hommes. L'homme seul est isolé, ce qui ne lui convient guère. Le seul homme est unique, ce qui est différent. Exemple : Robinson, sur son île, était un homme seul, il était même le seul homme.

Remarquez en passant que le cas de *brave, petit* ou *grand* est distinct de celui de *seul*, car on ne parle pas, du moins communément, d'une petite personne petite ni d'un grand homme grand, tandis qu'il est banal de constater qu'untel, lors d'une soirée quelconque, était le seul homme seul. Sur son île, Robinson n'était pas le seul homme seul, puisqu'il était le seul homme !

Seul est un adjectif précis. Ce qui est seul est unique ou isolé, c'est quelque chose ou quelqu'un que l'on envisage distinctement, à l'exception de tout le reste. Dans un récit, « la seule maison qu'il y avait sur la falaise », c'est forcément cette maison-ci, celle qu'on nous montre, puisqu'il n'y en a pas d'autre. « Un homme seul marchait dans le désert », c'est, bien sûr, cet homme-ci, celui qu'on regarde avec une paire de jumelles et qui progresse lentement à l'horizon des dunes. Ce qui est seul est, par le fait même, précisément désigné.

D'où le problème du pluriel et de l'expression « l'un des seuls », quand ces « seuls » ne sont pas autrement distingués. « Dubois est l'un des seuls écrivains de notre siècle dont l'œuvre, etc. », eh bien, cela sonne mal. En effet, ce qui est seul devrait être clairement repérable. « Dupont, Durand et Garnier sont les seuls écrivains » est sans obscurité. Mais « Martin est un des seuls écrivains » est confus, parce qu'on ne sait pas à qui d'autre il est fait allusion. Cet écrivain est « le seul » ou il est « l'un des rares ».

S'il faisait beau, je sortirais ou je sortais ?

Il n'y a pas de confusion possible entre *éclaircir* et *éclairer*. Éclairer, c'est répandre de la clarté en manipulant une source lumineuse ; éclaircir, c'est rendre plus clair en agissant à l'intérieur de l'objet concerné. On éclaire une peinture avec un projecteur. On éclaircit une peinture en y mettant du blanc. On éclaircit un texte en le réécrivant d'une manière plus compréhensible. On éclaire un texte en indiquant ses références.

Les mots aiment la nuance. *En dessous* (dans la partie inférieure) n'est pas *au-dessous* (plus bas). Quand on a tout raté, on n'est pas « en dessous de tout » – car tout n'est pas une table dont on puisse voir le dessous –, on est au-dessous de tout, c'est-à-dire plus bas que tout... enfin, c'est ce qu'on devrait dire, avant de reprendre courage !

Du courage, il en faut devant les nuances de *si*. Il y a plusieurs sortes de *si*. Parmi celles-ci, le *si* de concession : « Il n'a pas plu, dit l'un, mais tu aurais quand même dû prendre un parapluie, car il aurait pu pleuvoir. – S'il aurait pu pleuvoir, le fait est qu'il fit beau «, répond l'autre. Ce « s'il aurait » étonne, mais essayez de dire autre chose ! Ici, la conjonction *si* n'introduit pas une condition (« s'il avait pu pleuvoir »), mais une concession : il aurait pu pleuvoir, je te l'accorde, mais le fait est qu'il n'a pas plu.

Le *si* conditionnel n'est pas simple non plus. S'il pleuvait, par exemple. Voilà un imparfait qui permet de formuler une éventualité, non point passée, mais... actuelle : « Sommes-nous obligés de sortir ? – Non. D'ailleurs, s'il pleuvait, nous ne sortirions pas. » Or, ce même imparfait, le voici d'un seul coup propulsé dans l'avenir : « Si, demain, il pleuvait, nous ne sortirions pas. »

« S'il pleuvait » est très imparfait. Il appartient autant au temps présent qu'au futur, mais semble bizarrement échapper au passé.

« S'il pleuvait, hier, nous ne serions pas sortis » est en effet énigmatique. On sait, ou on ne sait pas, ce qu'on aurait fait hier « s'il avait plu », mais ce qu'on aurait fait « s'il pleuvait » ne veut rien dire. Les conditions atmosphériques passées ne sont plus inconnues.

Bien sûr, cela n'empêche pas « s'il pleuvait » d'avoir un sens dans le passé. Mais il n'est plus question d'une éventualité imaginaire, il s'agit de la réalité qui a effectivement eu lieu : « Qu'avez-vous fait pendant vos vacances ? – Chaque jour, s'il faisait beau, nous allions nous promener. S'il pleuvait, nous ne sortions pas. » Le *si* n'est plus le même.

S'il vient ou si il vient ?

Au sud(e) de la Loire, certaines façons de parler prononcent les *e* muets (même s'il n'y en a pas) et pas seulement les *e* : « je chante » y fait entendre, bien sûr, son *e* final, mais également le *n* qui précède le *t*. C'est à croire que les mots réclament un supplément de lettres ! Plus au nord, l'équivalent du *je chan-n'te* (trois syllabes) méridional est quelque chose comme *j' chant'* (une seule syllabe).

Le français « de la rue » n'utilise pas systématiquement ce genre de compressions. Au contraire, il maintient quelquefois des syllabes que le langage châtié supprime. Exemple : « Je viens s'il vient », prononcé *si il vient* dans les faubourgs où on cause toujours.

De son côté, le français officiel ne craint certainement pas de manger les *e* à l'oral ! D'après les plus éminents observateurs de la langue, si le français populaire fait chuter les *e* pairs (*je m' le d'mande*), le français cultivé oublie, lui, les *e* impairs (*j' me l' demande*).

Ce qui est sûr, en tout cas, c'est qu'on ne transcrit jamais ces élisions contenues dans la langue parlée du français soutenu. En revanche, pour reproduire par écrit des manières moins relevées, il n'est pas interdit de recourir à l'apostrophe. *Alors, p'tit gars, qu'e'qu' tu fais là ? T'attends qu'y pleuv' ?*

L'emploi de cette virgule placée en haut des lettres ne remonte qu'au XVIe siècle. Elle servait, à l'époque, beaucoup plus que maintenant. « Douz'ans » ou « cett'année » ont même pu passer pour des graphies normales. Depuis, le rôle de l'apostrophe a beaucoup diminué. Cela signifie-t-il que l'élision orale régresse ?

En français, l'élision est associée, à tort, à un parler relâché qui avale les sons. Il existe aujourd'hui une tendance inverse qui, pour se distinguer des manières populaires, articule les *e* très ex-haus-ti-ve-ment, mais pas toutes les lettres comme en Provence, certes !

Cela donne une phrase monotone, dans laquelle les syllabes ont la même hauteur et la même longueur. *Jeu-neu-pen-seu-pas-queu-jeu-par-ta-geu-vo-treu-point-deu-vue.* Cette articulation uniforme fait penser à celle d'un écolier sage, qui apprend à lire et ne met pas encore d'intonation, tout occupé qu'il est de son déchiffrement. La différence est dans la vitesse d'élocution.

Virgule ou apostrophe ?

Revenons à nos moutons, à *presque, quoique* et *lorsque*… « L'*e* de *quoique*, rappelle le Petit Larousse, ne s'élide que devant *il, elle, on, un, une.* » Le dictionnaire oublie de préciser qu'il s'agit de l'élision écrite (l'apostrophe) ; celle qu'on fait en parlant est plus fréquente. On dit normalement *quoiqu'anticonstitutionnellement*, quoiqu'on écrive *quoique anti*…

L'apostrophe a tout l'air d'une virgule, mais elle a tout l'air d'une virgule en l'air, tandis que la virgule est en bas. Il n'y a pas de raisons qu'elles se rencontrent, elles ne voient pas les mots de la même façon. Pour l'apostrophe, les mots sont des agrégats de lettres (son rôle est d'en remplacer une). Pour la virgule, ce sont les éléments d'une phrase qu'elle rassemble et sépare.

L'apostrophe est toujours solitaire, pas la virgule. Exemple : *M. Clédat,* (virgule) *grammairien,* (virgule) *a déclaré*… Ou encore : *Quand,* (virgule) *en 1907,* (virgule) *M. Clédat déclara*… Il n'est pas recommandé d'écrire : *M. Clédat,* (virgule) *grammairien a déclaré*…, ni : *Quand en 1907,* (virgule)

M. Clédat déclara… La virgule va souvent par deux, et cette paire n'aime pas l'apostrophe. Voici pourquoi.

Le grand grammairien Léon Clédat l'a dit il y a belle lurette et il n'est pas le seul à l'avoir fait : « L'*e* de *quoique, puisque, lorsque* ne s'élide dans l'écriture que devant *il, elle, on, un* ; c'est une bizarrerie qu'il faut faire disparaître. Pour les mots dans lesquels on admet l'apostrophe, il faudrait autoriser ce signe dans les graphies toutes les fois qu'il y a élision dans la prononciation. » Écrivons donc tranquillement avec une apostrophe « *puisqu'*avant la Grande Guerre des autorités langagières éminentes souhaitaient déjà écrire ainsi », comme cela se prononce, *quoiqu'*ici *puisque* (et *quoique*) ne soit pas suivi d'*il*, d'*elle*, d'*on* ni d'*un*.

Hélas ! est-ce si simple ? Lorsque, écartant enfin les usages passés, nous n'écrirons plus « *lorsque*, écartant », mais « *lorsqu'*écartant », sous prétexte que c'est « comme ça que ça se prononce », aurons-nous fait un pas en avant ? L'élision graphique de l'*e* de *lorsque* empêche le groupe de mots « écartant enfin les usages passés » d'être limité par deux virgules, la seconde subsistant seule. La régularisation d'un emploi (celui de l'apostrophe) aura créé un autre cas d'irrégularité (pour la virgule)… Que de problèmes !…

Vitesse ou allure ?

La place de l'automobile dans nos vies d'hommes est facile à mesurer. Dans nos zones pavillonnaires, nous construisons des maisons où le garage est aussi grand que la salle de séjour. (Pendant que le moteur refroidit dans cette vaste écurie, les enfants dorment à deux ou trois dans la même chambre.)

Le monde se vengera plus tard des véhicules qui prennent leurs aises jusque dans nos demeures, où ils occupent à eux seuls une des plus grandes pièces du rez-de-chaussée ! Pour le moment, les voitures sont là, et nous les bichonnons pour qu'elles rutilent, car il faut qu'elles aient de l'allure.

L'allure est devenue, pendant quelques semaines, un slogan (c'est-à-dire un cri de guerre, de l'écossais *sluagh*, troupe, et *gairm*, cri). En maints endroits réservés à l'affichage publicitaire, on pouvait voir une voiture au-dessus de laquelle était écrit ceci : « Ne parlez pas de vitesse mais d'allure. »

L'allure est un dérivé du verbe aller qui a bonne allure. Il y a trois ou quatre siècles, l'allure était simplement la façon de marcher ou de se transporter d'un lieu à un autre. « L'allure par eau, écrit

Furetière, est la plus douce. » « On reconnaît certaines gens à leur allure », dit Littré : c'est-à-dire à leur façon de marcher. Il y a l'allure légère, l'allure souple, l'allure pesante... mais rien, dans tout cela, n'évoque la vitesse.

L'allure, c'est la manière de se déplacer et, par extension, de se comporter, de se tenir. Au bout du compte, l'allure, c'est l'aspect : « Il a toujours une allure jeune. »

Les navires aussi ont de l'allure : allure de près, de largue, de vent arrière... On parle alors de leur direction par rapport au vent.

Littré cite, en outre, l'acception suivante : « Ce jeune homme a des allures, il a quelque commerce secret de galanterie. » « Cette locution a vieilli », ajoute-t-il.

Et puis, il y a les chevaux. Le cheval a trois allures naturelles, le pas, le trot et le galop, et des allures défectueuses, comme l'amble, l'aubin, le traquenard.

Et la voiture, dans tout ça ?...

La puissance de son moteur se mesure en chevaux, mais une voiture qui irait l'amble comme un chameau aurait-elle fière allure ? (L'amble était recherché autrefois, pour la douceur des réactions ; les haquenées, qui en étaient douées, étaient des montures réservées au dames.)

Alors, quel rapport entre auto et allure ?... Eh bien, « à toute allure », bien sûr ! À toute vitesse.

Volatil ou volatile ?

Il y a des mots si rares qu'ils n'existent pas. L'adjectif *bissextil* (sans *e*) est l'un d'eux. Ce n'est pas un néologisme tombé des circonvolutions fatiguées d'un cerveau vulnérable, ce n'est pas une fantaisie de fabrication récente — les spécialistes assurent que des « ans bissestilz » figurent dans un écrit du XVIe siècle —, mais ce masculin est si peu fréquenté que *bissextile* est classé d'ordinaire parmi les adjectifs qui n'ont pas de masculin. Académie, Larousse ou Robert, les dictionnaires ne connaissent que : « Bissextile : adj. f. ; année bissextile, année qui comporte un jour de plus en février. »

Un adjectif qui se trouve *de facto* doté d'un genre unique ? Le cas est moins spécial qu'on ne le croit. Quel est le masculin de bée (bouche bée), le féminin de salant (marais salant) ? Imagine-t-on qu'on puisse parler d'une brise coulisse, frangine du vent coulis ? Toutefois, *l'an bissextil* a ceci de particulier que ce masculin inusité s'écrirait — si on l'écrivait — comme nous venons de le faire, c'est-à-dire sans *e* final. La curiosité, elle est là.

Car enfin, qu'est-ce que c'est que ce fonctionnement imbécile ? Nous savons qu'en français l'*e* est en général la marque du féminin, mais cela signifie-t-il que l'absence de cette voyelle soit liée au masculin ? Petit, féminin petite ; faudrait-il en induire que tripartite est le féminin de tripartit ? Que des amours illicites sont la forme plurielle d'un amour illicit ? Qu'une conduite insolite devient, au masculin, un comportement insolit ? Non, bien sûr.

Alors, pourquoi, oui, pourquoi *bissextil* serait-il sans *e* au masculin ? On dira que, précisément, cet adjectif n'a pas d'emploi de ce genre. C'est vrai, mais peu subtil. Il y a l'exil et l'asile. L'état civil ne prend pas d'*e*, mais l'état servile en prend un. Les jeux puérils ne sont pas forcément stériles. Tout ce qui est érectile, fertile, futile, hostile, utile… tout cela prend un *e* dans les deux cas, non ?

Et le pire est devant nous. Volatil. Substantivement, un volatile. Adjectivement : un gaz volatil. Pourquoi pas un mobile (nom) immobil (adjectif) ? Touchons le fond : un cil. Un cil, mais un sourcil. L'exil et le fusil. L'orthographe ne nous est d'aucune aide, nous passons en deçà de l'écrit et mettons le pied sur le bon vieux sol où on cause encore sans savoir lire. Là, le fournil se prononce évidemment « *fourni* », le baril, le chenil et le nombril riment avec gentil, et le coutil avec l'outil. Pour combien de temps ? C'est une autre histoire. Nous baignons dans la langue écrite. Quand on apprend le chenil dans un livre, on le prononce comme volatil.

Weston ou Blanchard ?

En 1919, certaines chaussures militaires devaient encore leur nom à Alexis Godillot (1816-1903). Le traité de Versailles mit fin à la Première Guerre mondiale et abolit le privilège diplomatique du français, car il fut également rédigé en anglais. Les temps changeaient.

C'était une innovation importante. Le linguiste Antoine Meillet (1866-1936), dans son ouvrage sur *Les Langues de l'Europe nouvelle*, affirme, en plus, qu'à lire le traité, « on a souvent l'impression que le texte français est traduit de l'anglais ».

Le français est une langue de traduction. On n'exagérerait pas beaucoup, si l'on disait que le meilleur usage de cet idiome, son usage idéal, demande de connaître les langues qui l'environnent, l'allemand, l'italien, l'espagnol et l'anglais. Sans oublier le grec ancien ni surtout le latin, dans lequel le français a cherché sa grammaire. L'accès à une telle culture n'est pas ouvert à tout le monde. C'est pourtant de cela qu'il s'agit quand nous parlons.

Voici un objet banal en nos temps, la chaussure, autrement appelée le croquenot, la godasse, la grolle, le ribouis, le sorlot, la tatane… tous mots qui sonnent français, comme galoche et sabot.

Mais nous mettons aussi des baskets ou des boots, et les adolescents sont à l'aise dans leurs Nike, leurs Doc, leurs Reebok.

La chaussure est mondiale. Cela explique pourquoi son vocabulaire récent est anglo-américain. Mais elle n'est pas mondiale depuis hier. Elle est bien antérieure à 1919. Les premiers souliers connus figurent sur les bas-reliefs de l'ancienne Égypte. En France, le cordonnier date du XIIIe siècle, c'est le « cordoanier », celui qui travaille le cuir de Cordoue.

La ballerine vient de l'italien, l'escarpin aussi (*scarpino,* qu'on fait généralement remonter à un mot gothique, *skarpo,* « pointu », présent dans l'adjectif allemand *scharf*). La savate vient peut-être de l'arabe ; la babouche, du persan en passant par le turc ; le mocassin, de l'algonquin des Indiens d'Amérique du Nord ; les charentaises, de La Rochefoucauld (Charente).

En 1924, un bottier de Limoges nommé Eugène Blanchard inventa la marque de chaussures de luxe J.M. Weston. Pourquoi, à ses oreilles comme à celles de ses riches clients, Weston sonnait-il mieux que Blanchard ? C'est toute la question de la mondialisation de la chaussure.

TABLE

DÉJÀ PARUS AUX ÉDITIONS MOTS ET CIE

ALAIN DUCHESNE ET THIERRY LEGUAY
Qu'est-ce qu'un écrivain ? *Petits secrets de la création littéraire.*

MARIE-ANNE DUJARIER
Il faut réduire les affectifs. *Petit lexique de management.*

PIERRE ENCKEL
Médor, Pupuce, Mirza, Rintintin et les autres. *Le dictionnaire des noms de chiens.*

NATHALIE KRISTY
Mais où est donc Ornicar ? *Souvenons-nous des aide-mémoire.*

PIERRE LAURENDEAU/PATRICK BOMAN
L'autopsie confirme le décès. *Éloge de la correction.*

THIERRY LEGUAY
Les poules du couvent couvent. *Les curiosités du français.*
Dans quel état j'erre ? *Trésors de l'homophonie.*

SOPHIE MASSIEU
Il n'y a que braille qui m'aille... *À vue de mots.*

CHRISTIAN MONCELET
My fer lady ! *Et autres bonheurs d'expression.*

LAURENT MOUSSARD/FLORENCE MONTAGNER
À vendre, invendus. *Petites annonces équivoques.*

JEAN-CLAUDE RAIMBAULT
Si mon dico m'était conté... *Un siècle de définitions.*

YAK RIVAIS
Vous me la copierez 300 fois. *L'art d'accommoder une phrase.*

DES LECTEURS DE SUD-OUEST DIMANCHE
Mais que fait l'Académie ? *Le dictionnaire des mots qui devraient exister*

Achevé d'imprimer en septembre 2003
sur les presses de la Nouvelle Imprimerie Laballery – 58500 Clamecy
Dépôt légal : septembre 2003 – Numéro d'édition : 42 – Numéro d'impression : 308032

Imprimé en France